Bescherelle

espagnol
poche

Mónica Castillo Lluch
Agrégée d'espagnol
Maître de conférences en Linguistique hispanique
à l'université de Strasbourg

Marta López Izquierdo
Agrégée d'espagnol
Maître de conférences en Linguistique hispanique
à l'université Paris 8

© **Hatier**, Paris, juin 2010
ISBN 978-2-218-93833-7
ISSN 2101-1249

Conception graphique et réalisation : c-album

■ PRÉSENTATION

Le *Bescherelle poche espagnol* est un ouvrage nomade
destiné à tous ceux qui veulent consolider leur espagnol
pour des raisons scolaires, professionnelles ou privées.
Il réunit **en un seul volume** les outils indispensables
pour accompagner un apprentissage efficace de l'espagnol.

Grammaire

Chaque chapitre traite le point concerné de façon synthétique
et clairement hiérarchisée. La rubrique « Notez bien »
cible les **sources d'erreurs fréquentes**.

Du français à l'espagnol : trouver le mot juste

Classés par ordre alphabétique depuis le français,
60 points de passage « délicats » vers l'espagnol
avec, pour chaque entrée, les solutions et leurs exemples.
En annexe, les principales différences entre espagnol
d'Espagne et espagnol **d'Amérique**.

Vocabulaire

Organisé en vingt thèmes, le vocabulaire essentiel avec
pour chacun :
– un test de **prononciation** (Vous les connaissez.
Savez-vous les prononcer ?) ;
– des **listes** de mots classés (noms, adjectifs, verbes)
et une série d'**énoncés** pour les apprendre en contexte
(Un peu de conversation).

Conjugaison

35 tableaux types des **verbes réguliers et irréguliers**.

> Cet ouvrage correspond aux niveaux B1-B2
> du Cadre Européen Commun de Référence pour les Langues.

Compléments multimédia @

Sur le site **www.bescherelle.com**, vous trouverez, pour vous
entraîner **à l'oral**, l'enregistrement intégral de la rubrique
« Vous les connaissez. Savez-vous les prononcer ? ».
Ce contenu est **accessible gratuitement** pour les utilisateurs
du livre (saisie de mots clés figurant dans l'ouvrage).

SOMMAIRE

GRAMMAIRE

LE GROUPE NOMINAL

LE GROUPE VERBAL

LA PHRASE

DU FRANÇAIS À L'ESPAGNOL : trouver le mot juste

VOCABULAIRE

CONJUGAISON

INDEX

PRONONCIATION

LETTRE	NOM	PHONÉTIQUE	EXEMPLE
a	a	[a]	cama
b	be	[b]/[β]	beber
c	ce	[k]/[θ]/[s]	cacerola
ch	che	[tʃ]	coche
d	de	[d]/[ð]	dedo
e	e	[e]	eco
f	efe	[f]	feo
g	ge	[g]/[ɣ]/[x]	galgo, genio
h	hache	[ø]	hola
i	i	[i]	hilo
j	jota	[x]	jefe
k	ka	[k]	kilo
l	ele	[l]	loco
ll	elle	[λ]/[j]	llamar
m	eme	[m]	mamá
n	ene	[n]	no
ñ	eñe	[ɲ]	niño
o	o	[o]	oso
p	pe	[p]	pipa
q	cu	[k]	queso
r rr	ere / erre erre doble	[ɾ] [r]	raro
s	ese	[s]	soso
t	te	[t]	total
u	u	[u]	útil
v	uve	[b]/[β]	vivir
w	uve doble	[w]	whisky
x	equis	[ks]/[x]	taxi, México
y	i griega	[j]/[dʒ]	yo
z	zeta	[θ]/[s]	zapato

NOTEZ BIEN
Les noms des lettres sont féminins : *la a, la eñe, la zeta*.

EN AMÉRIQUE
La lettre *b* se dit *be alta* ou *be larga* et la lettre *v* se dit *ve baja* ou *ve corta*. La lettre *w* se dit *doble ve*.

Grammaire

Abréviations utilisées
pers. : personne
sing. : singulier
plur. : pluriel
masc. : masculin
fém. : féminin

Pour ne pas alourdir les exemples, une seule
traduction a été proposée là où hors contexte
la 3e personne correspond en espagnol à il(s),
elle(s) ou vous.

1 Orthographe et accentuation

MODIFICATIONS ORTHOGRAPHIQUES

L'orthographe d'un mot peut varier afin de conserver la même prononciation d'une forme à l'autre.

ca/co	→ que	tocar (toucher) → toquemos (touchons)
	→ qui	rico (riche) → riquísimo (richissime)
ga/go	→ gue	pagar (payer) → pagué (je payai)
	→ gui	amigo (ami) → amiguito (petit ami)
gua/guo	→ güe	averiguar (vérifier) → averigüé (je vérifiai)
	→ güi	contiguo (contigu) → contigüidad (contiguïté)
gi/ge	→ ja	elegir (choisir) → elija (choisissez)
	→ jo	coger (prendre) → cojo (je prends)
-z/za/zo	→ ce	voz (voix) → voces (des voix)
	→ ci	cazo (casserole) → cacito (petite casserole)

ACCENT TONIQUE ET ACCENT GRAPHIQUE

Dans les mots de plus d'une syllabe, il y en a toujours une qui est prononcée plus intensément : c'est la **syllabe tonique**. La place de l'accent tonique dans un mot suit certaines règles.

Les mots terminés par une voyelle ou par les consonnes -n ou -s portent généralement l'accent tonique sur l'avant-dernière syllabe : _mun_do, bici_cle_ta, can_tan_te, _ta_xi, _en_tran, e_xa_men, _flo_res.

Les mots terminés par une consonne autre que -n ou -s portent généralement l'accent tonique sur la dernière syllabe : fe_liz_, descu_brir_, amis_tad_, fenome_nal_, perspi_caz_, re_loj_.

Les mots qui ne suivent pas ces règles portent un **accent graphique** : ca_fé_, _lá_piz, marro_quí_, fe_nó_meno, _ú_til, _dí_selo, e_xá_menes.

Les diphtongues consistent en la combinaison de deux voyelles, dont obligatoirement [i] ou [u], prononcées dans une même syllabe. Quand l'accent tonique tombe sur une diphtongue, c'est sur l'une des voyelles [a] / [e] / [o], ou sur la deuxième de [i] / [u].

L'accent graphique sur les diphtongues suit les règles générales : *mie-do*, *pue-den*, *so-lu-ción, lle-gáis*.

Deux voyelles prononcées dans deux syllabes différentes forment un hiatus. Les hiatus suivent les règles générales de l'accent graphique : *a-é-re-o*, *te-a-tro*, *le-ón*, *pa-ís*.

> **NOTEZ BIEN**
> La place de l'accent tonique peut changer le sens d'un mot.
> canto (je chante) ≠ cantó (il a chanté)

ACCENT GRAMMATICAL

Certains mots portent un accent graphique pour les distinguer d'homonymes n'ayant pas la même fonction grammaticale.

> **él** vino ≠ **el** vino
> il vint ≠ le vin

Mí, *tú* et *él* sont des pronoms personnels, *mi* et *tu* des adjectifs possessifs, *el* un article.

- **Él** dejó **el** sobre encima de **mi** escritorio,
  pero no era para **mí**.
  Il a déposé **l'**enveloppe sur **mon** bureau,
  mais elle n'était pas pour **moi**.

Les mots interrogatifs et exclamatifs portent un accent mais pas les relatifs.

- ¿**Qué** costó la casa **que** compró?
  Combien a coûté la maison **qu'**il a achetée ?

Aún (encore), *sí* (oui) et *más* (plus) sont des adverbes.
Aun (même), *si* (si) et *mas* (mais) sont des conjonctions.

- ¿**Aún** te duele? ¿Y **aun** enfermo sigues trabajando?
  Tu as **encore** mal ? Et **même** malade, tu continues à travailler ?

- **Sí**, te contestaré **si** tú me escribes.
  Oui, je te répondrai **si** tu m'écris.

Les **démonstratifs** peuvent porter un accent s'ils sont pronoms, mais pas s'ils sont adjectifs.

- Se alquila **esta** casa, no **aquélla**.
  Cette maison est à louer, pas **celle-là**.

GENRE DES NOMS DÉSIGNANT DES ÊTRES ANIMÉS

Les deux genres (masculin / féminin) correspondent à la différence biologique mâle / femelle. Il y a plusieurs manières de **marquer cette différence**.

La terminaison change.

Masculin en *-o*, *-e* ou consonne → féminin en *-a* : *chico / chica* (garçon / fille), *jefe / jefa* (chef), *señor / señora* (monsieur / madame).

Masculin en *-e* → féminin en *-esa* : *alcalde / alcaldesa* (maire / mairesse).

Masculin en *-a* ou *-e* → féminin en *-isa* : *poeta / poetisa* ou *poeta* (poète / poétesse).

Masculin en *-or* → féminin en *-triz* : *actor / actriz* (acteur / actrice).

Terminaisons diverses → féminin en *-ina* : *héroe / heroína* (héros / héroïne), *rey / reina* (roi / reine).

Les deux noms sont distincts.

hombre / mujer homme / femme	marido / mujer mari / femme	caballo / yegua cheval / jument
padre / madre père / mère	yerno / nuera gendre / belle-fille	

Seul le déterminant change.

Noms en *-ista* : *el / la artista* (l'artiste).
Noms en *-a* : *el / la guía* (le / la guide).
Noms en *-o* : *el / la testigo* (le témoin).
Noms en *-e* : *el / la pinche* (l'aide-cuisinier).
Noms en *-nte* : *el / la estudiante* (l'étudiant / l'étudiante)
Noms en *-í* ou *-ú* : *el / la maniquí* (le / la mannequin)
Noms en *-l* ou *-z* : *el / la cónsul* (le / la consul)...

GENRE DES NOMS DÉSIGNANT DES ENTITÉS INANIMÉES

Le genre peut être prévisible d'après la **terminaison**.

La plupart des noms terminés par **-a** sont féminins et par **-o** masculins. Mais il existe quelques **exceptions** importantes.

Féminins en -o : *la mano* (la main), *la moto* (la moto), *la radio* (la radio).

Masculins en -a : *el día* (le jour), *el problema* (le problème), *el planeta* (la planète).

Autres terminaisons

Masculins en -or : *el calor* (la chaleur), *el color* (la couleur), **mais** *la flor* (la fleur).

Féminins en -ad : *la solidaridad* (la solidarité).

Féminins en -ción / -sión / -zón : *la canción* (la chanson), *la pasión* (la passion), *la razón* (la raison).

Féminins en -tud : *la juventud* (la jeunesse).

Féminins en -ez : *la vejez* (la vieillesse).

Le genre peut être prévisible **d'après le sens**.

Les noms des lettres de l'alphabet sont féminins car on sous-entend *la letra* : *la eñe*, *la jota*.
▸ **PRONONCIATION ET ORTHOGRAPHE P. 6**

Les noms des fleuves, des mers et des montagnes sont généralement **masculins** car on sous-entend *el río*, *el mar / el océano*, *el monte* : *el Sena* (la Seine), *el Mediterráneo* (la Méditerranée), *los Pirineos* (les Pyrénées).

Les noms de marques de voitures sont **masculins** car on sous-entend *el coche* : *un Peugeot*, *un Mercedes*.

Les noms d'arbres sont souvent **masculins** et celui de leur fruit **féminin** : *el olivo / la oliva* (l'olivier / l'olive), *el manzano / la manzana* (le pommier / la pomme).

NOMBRE DU NOM

➤ Il existe deux classes de noms : les noms **dénombrables** (qui peuvent être comptés) et les **indénombrables** (qui ne peuvent pas être comptés). Le pluriel est incompatible avec les indénombrables.

- Ha comido **muchas galletas** y ha bebido **mucha leche**.
  Il a mangé beaucoup de biscuits et il a bu beaucoup de lait.

➤ Le pluriel se marque généralement par -s ou -es.

On ajoute -s aux noms terminés par une voyelle.
  la bicicleta (le vélo) → las bicicletas
  el café (le café) → los cafés

On ajoute -es aux noms terminés par une consonne.
  la razón (la raison) → las razones
  el pez (le poisson) → los peces

Exception
Les noms en -s restent invariables si leur dernière syllabe n'est pas tonique : *la crisis* (la crise) → *las crisis*, *el lunes* (lundi) → *los lunes*.

➤ Le pluriel peut désigner un couple.
  los padres : les pères *ou* le père et la mère
  los hermanos : les frères *ou* le frère et la sœur

FORMES DE L'ARTICLE INDÉFINI

	MASCULIN	FÉMININ
singulier	un	una (un devant [á])
pluriel	unos	unas

un bosque (une forêt) → (unos) bosques (des forêts)
una montaña (une montagne) → (unas) montañas (des montagnes)

NOTEZ BIEN

Lorsqu'un nom féminin commence par un *a* tonique
(écrit *a* ou *ha*), on utilise la forme *un* (*una* est aussi possible,
mais plus rare).

un ave migratoria (un oiseau migrateur) **mais unas** aves migratorias

EMPLOIS PRINCIPAUX DE L'ARTICLE INDÉFINI

L'article indéfini sert à nommer pour la première fois
un référent **inconnu** de l'interlocuteur.

- Pedro vio a **un** chico. El chico estaba entrando
  en el metro.
  Pedro a vu un garçon. Le garçon entrait dans le métro.

Il présente un être ou un objet de façon individuelle
mais **indéterminée**.

- Hemos venido aquí para visitar **una** iglesia románica
  preciosa.
  Nous sommes venus ici pour visiter une très belle église
  romane.

Il peut avoir une valeur **générique** dérivée de son sens
indéterminé.

- **Un** restaurante tiene que tener servicios.
  Un restaurant doit avoir des toilettes. [= Tout restaurant...]

OMISSION DE L'ARTICLE INDÉFINI SINGULIER

L'article indéfini **ne s'emploie pas** devant *otro* (un autre), *medio* (un demi), *cualquier* (un quelconque) et *tal* (un tel).

- ¿Prefieres **otro**?
  Tu en préfères un autre ?

- Estoy allí en **media** hora.
  Je serai là dans une demi-heure.

- No es fácil trabajar con **tal** presión.
  Il n'est pas facile de travailler sous une telle pression.

L'article indéfini **ne s'emploie pas** avec les noms indénombrables.

- María no come carne.
  María ne mange pas de viande.

NOTEZ BIEN
Avec les indénombrables, le français utilise l'article partitif (du, de la...). En espagnol on peut aussi employer l'article partitif si le nom est déterminé par un démonstratif, un possessif, une relative ou un complément du nom.

Coge **de ese** queso y **del** vino que ha traído Juan.
Prends de ce fromage et du vin que Juan a apporté.

PLURIEL DE L'ARTICLE INDÉFINI

Un groupe nominal comme *una montaña* peut avoir **trois formes de pluriel**.

- Desde mi ventana veo **una, dos, tres...** montañas.
  [*una* numéral]
  De ma fenêtre, je vois une, deux, trois... montagnes.

- Desde mi ventana veo montañas.
  [*montañas* totalement indéterminé]
  De ma fenêtre, je vois des montagnes.

- Desde mi ventana veo **unas** montañas.
  [*unas* très proche de *algunas* (quelques)]
  De ma fenêtre, je vois des montagnes.

▸ L'APPROXIMATION P. 25

4 L'article défini

FORMES DE L'ARTICLE DÉFINI

	MASCULIN	FÉMININ	NEUTRE
singulier	el	la (*el* devant [á])	lo
pluriel	los	las	

el minuto (la minute) → los minutos (les minutes)
la hora (l'heure) → las horas (les heures)
lo necesario (le nécessaire)

NOTEZ BIEN
Lorsqu'un nom féminin commence par un *a* tonique (écrit *a* ou *ha*), on utilise la forme *el*.

el agua fría (l'eau froide) **mais las** aguas frías

L'article défini **se contracte** avec *a* et *de*.

A + EL → AL	DE + EL → DEL
Voy **al** instituto. Je vais au lycée.	Vengo **del** gimnasio. Je viens de la gym.

EMPLOIS PRINCIPAUX DE L'ARTICLE DÉFINI

L'article défini sert à nommer toute entité **connue** des interlocuteurs.

- Pedro vio a un chico. **El** chico estaba entrando en **el** metro.
  Pedro a vu un garçon. Le garçon entrait dans le métro.

Il présente un être ou un objet de façon individuelle et **déterminée**.

- Estamos en **el** pueblo.
  Nous sommes au village.

Il peut avoir une valeur **générique**.

- **El** periodista tiene que tener una gran cultura general.
  Le journaliste doit avoir une grande culture générale.
  [= Tout journaliste...]

EMPLOIS SPÉCIFIQUES DE L'ARTICLE DÉFINI

L'article défini s'emploie avec **señor**, **señora**, **señorita** quand on parle de la personne, mais pas quand on s'adresse directement à la personne.

- **La señora Pons** ha dejado un mensaje para **el señor Gil**.
  Madame Pons a laissé un message pour monsieur Gil.

- **Señora Pons**, por favor, vuelva a llamar más tarde.
  Madame Pons, s'il vous plaît, veuillez rappeler plus tard.

Il s'emploie avec les **heures**.

- — ¿Son **las doce**? — No, ya es **la una**.
  Il est midi ? – Non, il est déjà une heure.

Avec les **jours de la semaine**, on l'emploie au singulier pour une date spécifique et au pluriel pour exprimer la périodicité.

- **El jueves** es mi cumpleaños.
  Jeudi, c'est mon anniversaire.

- **Los jueves** tengo coro.
  Le jeudi, j'ai chorale.

L'article défini est **facultatif** avec les **années sauf** si elles sont désignées de manière **abrégée** par leur dizaine.

- Los árabes comenzaron su conquista de la Península Ibérica en (**el**) **711**.
  Les Arabes ont commencé leur conquête de la péninsule Ibérique en 711.

- Le encanta la música de **los** (años) 70.
  Il adore la musique des années 70.

Les **pourcentages** sont toujours précédés d'un article soit défini, soit indéfini.

- **El** *ou* **Un** 80% de los presentes votó a favor.
  80 % des présents ont voté pour.

L'article défini peut apparaître **sans le nom**, suivi d'un complément ou d'un adjectif.

- Son **los chicos** de ayer. → Son **los** de ayer.
  Ce sont les garçons d'hier. → Ce sont ceux d'hier.

OMISSION DE L'ARTICLE DÉFINI

L'article défini est généralement omis dans les cas suivants :

Avec les noms de pays.

- Francia y España colaboran en la lucha antiterrorista.
  La France et l'Espagne collaborent dans la lutte antiterroriste.

NOTEZ BIEN
On peut utiliser l'article quand les noms de pays sont
qualifiés et que leur sens est limité.

la España democrática
l'Espagne démocratique

Devant *casa* dans un complément circonstanciel.

- Vive todavía **en casa** de sus padres.
  Il vit encore chez ses parents.

Avec les verbes *aprender*, *estudiar* et *enseñar*.

- Estoy estudiando chino.
  J'apprends le chinois.

NOTEZ BIEN
Dans certaines expressions, l'usage diffère en français
et en espagnol.

tener tiempo	pedir permiso
avoir le temps	demander la permission
dar **las** gracias	dar **la** razón
dire merci	donner raison

5 L'article *lo*

EMPLOIS PRINCIPAUX DE L'ARTICLE *LO*

Lo fonctionne comme article devant des adjectifs,
des adverbes, des infinitifs, des propositions... qui de ce fait
se comportent comme des noms.

- **Lo interesante** de esta película es **lo inesperado**
  del final.
  Ce qui est intéressant dans ce film, c'est le côté inattendu
  de la fin.

- **Lo de ayer** fue excepcional.
  Ce qui s'est passé hier a été exceptionnel.

- **Lo de ir** al cine esta noche me parece estupendo.
  L'idée d'aller au cinéma ce soir me semble excellente.

- ¿Te han dicho **lo que les pasa**?
  Ils t'ont dit ce qui leur arrive?

▶ CE QUI, CE QUE P. 115

LO DANS DES TOURNURES EXCLAMATIVES

➡ *Lo* + adjectif / adverbe + *que* + verbe

- Ya me ha explicado él **lo delicada que** es
  la situación.
  Il m'a déjà expliqué combien la situation est délicate.

- ¡No sabes **lo mal que** duermo!
  Si tu savais comme je dors mal!

NOTEZ BIEN
Dans ces tournures, *lo* est suivi d'adjectifs masculins
ou féminins, au singulier ou au pluriel.

➡ *Lo (mucho) que* + verbe

- Le llamaré para decirle **lo (mucho) que siento**
  no poder ir a su fiesta.
  Je l'appellerai pour lui dire combien je regrette de ne pas
  pouvoir aller à sa fête.

▶ PHRASE EXCLAMATIVE P. 85

6 Les démonstratifs

FORMES DES DÉMONSTRATIFS

	MASCULIN	FÉMININ	NEUTRE
sing.	este/ese/aquel	esta/esa/aquella	esto/eso/aquello
plur.	estos/esos/aquellos	estas/esas/aquellas	

Les démonstratifs peuvent fonctionner comme **adjectifs**, quand ils accompagnent le nom, ou comme **pronoms**, quand ils le remplacent.

Ils **s'accordent** en genre et en nombre avec le nom qu'ils accompagnent ou qu'ils remplacent.

- No me gustan esos quesos, prefiero este *ou* éste, más suave.
  Je n'aime pas ces fromages-là, je préfère celui-ci, il est plus doux.

EMPLOIS DES DÉMONSTRATIFS

Dans une situation concrète, les démonstratifs situent **dans l'espace ou dans le temps** les objets ou les êtres qui environnent celui qui parle.

- ¿**Esta cámara de fotos** es tuya?
  Cet appareil photo est à toi?

Dans le discours, ils rappellent quelqu'un ou quelque chose **dont on a déjà parlé** ou annoncent ce **dont on va parler**.

- Mientras Esteban y Sofía hablaban pude oír todo lo que **esta** le decía a **aquel**.
  Pendant qu'Esteban et Sofía parlaient, j'ai pu entendre tout ce qu'elle lui disait.

- **Esto** es cierto: nunca me ha engañado.
  C'est vrai : il ne m'a jamais trompé.

L'emploi des trois formes dépend de la **position** du locuteur et de son **point de vue.**

Este sert à désigner un être ou un objet situés au plus près du locuteur.

- **Esta tarde** tengo que acabarme **esta novela**.
  Cet après-midi je dois finir ce roman.

Ese et *aquel* servent à désigner un être ou un objet placés hors de cette proximité du locuteur, *ese* se situant généralement à une distance moyenne et *aquel* à une distance supérieure.

- Mira, ¿ves **ese edificio** antiguo? Ahí vive Julia.
  Regarde, tu vois ce bâtiment ancien? C'est là que Julia habite.

- Ya no me acuerdo del argumento de **aquella película**.
  Je ne me rappelle plus l'argument de ce film.

FORMES DES POSSESSIFS

POSSESSEUR		ADJECTIF AVANT LE NOM		ADJECTIF APRÈS LE NOM / PRONOM	
		masc.	fém.	masc.	fém.
SING.	1re pers.	mi(s)		mío(s)	mía(s)
	2e pers.	tu(s)		tuyo(s)	tuya(s)
	3e pers.	su(s)		suyo(s)	suya(s)
PLUR.	1re pers.	nuestro(s)	nuestra(s)	nuestro(s)	nuestra(s)
	2e pers.	vuestro(s)	vuestra(s)	vuestro(s)	vuestra(s)
	3e pers.	su(s)		suyo(s)	suya(s)

 Les possessifs, qu'ils soient adjectifs ou pronoms, **s'accordent** en nombre et, sauf pour certaines formes, en genre avec le nom qu'ils accompagnent ou qu'ils remplacent.

 Les adjectifs possessifs peuvent être placés **avant ou après** le nom. Placés après le nom, ils changent de forme (ils ont la même forme que les pronoms).

 mi perro : mon chien [adjectif placé avant le nom]
 el perro mío : mon chien [adjectif placé après le nom]
 el mío : le mien [pronom]

 Les formes *mi, tu, su* sont identiques, que le nom de l'objet possédé soit masculin ou féminin.

 mi/tu/su piso   mi/tu/su habitación
 mon/ton/son appartement   ma/ta/sa chambre

 Au contraire, les formes *nuestro(s)/nuestra(s)* et *vuestro(s)/vuestra(s)* varient en genre.

 nuestro/vuestro jardín   nuestra/vuestra terraza
 notre/votre jardin   notre/votre terrasse

 Les formes de **3e personne** sont identiques, que le possesseur soit une seule ou plusieurs personnes.

- **Miguel** nos presentó **su proyecto**.
  Miguel nous a présenté son projet.

- **Miguel y Cecilia** nos presentaron **su proyecto**.
  Miguel et Cecilia nous ont présenté leur projet.

Usted/ustedes fonctionne comme une 3ᵉ personne (voir
p. 33) : les possessifs correspondants sont donc *su(s)*,
suyo(s).

- ¿**Usted** no lleva **su carné de identidad**?
  N'avez-vous pas sur vous votre carte d'identité ?

- **Ustedes** vendrán en **su (propio) coche**.
  Vous viendrez avec votre (propre) voiture.

▸ VOTRE, VÔTRE P. 150

ARTICLE DÉFINI OU ADJECTIF POSSESSIF ?

À certaines tournures françaises avec un adjectif possessif
correspond en espagnol une structure avec l'**article défini**
et un **verbe pronominal**, notamment avec des noms désignant
des objets personnels et des parties du corps.

- Ponte **el** abrigo.
  Mets ton manteau.

- **Me** temblaban **las** manos.
  Mes mains tremblaient.

Dans des contextes où la relation de possession est **évidente**,
on n'utilise pas l'adjectif possessif en espagnol.

- ¿Dónde habré puesto **las** llaves?
  Où est-ce que j'ai bien pu mettre mes clés ?

EMPLOIS DU PRONOM POSSESSIF

Le pronom possessif en position d'attribut peut apparaître
seul ou précédé d'un article défini.

- —¿Este abrigo rojo es **tuyo**? —Sí, es **el mío**.
  Ce manteau rouge est à toi ? – Oui, c'est le mien.

Dans d'autres fonctions, il peut être précédé d'un adjectif
démonstratif, d'un numéral ou d'un indéfini.

- Cantó canciones de otros y **varias suyas**.
  Il a chanté des chansons d'autres compositeurs et
  plusieurs à lui.

FORMES DES CARDINAUX

0 cero	20 veinte	100 cien
1 uno/una	21 veintiuno/-a	101 ciento uno/-a
2 dos	22 veintidós	102 ciento dos, etc.
3 tres	23 veintitrés	200 doscientos/-as
4 cuatro	24 veinticuatro	300 trescientos/-as
5 cinco	25 veinticinco	400 cuatrocientos/-as
6 seis	26 veintiséis	500 quinientos/-as
7 siete	27 veintisiete	600 seiscientos/-as
8 ocho	28 veintiocho	700 setecientos/-as
9 nueve	29 veintinueve	800 ochocientos/-as
10 diez	30 treinta	900 novecientos/-as
11 once	31 treinta y uno/-a	1 000 mil
12 doce	32 treinta y dos	1 001 mil uno/-a
13 trece	33 treinta y tres, etc.	1 002 mil dos, etc.
14 catorce	40 cuarenta	2 000 dos mil, etc.
15 quince	50 cincuenta	100 000 cien mil
16 dieciséis	60 sesenta	1 000 000 un millón
17 diecisiete	70 setenta	2 000 000 dos millones, etc.
18 dieciocho	80 ochenta	1 000 000 000 mil
19 diecinueve	90 noventa	millones, etc.

NOTEZ BIEN
La conjonction *y* s'utilise uniquement entre les dizaines et les unités.

45 : cuarenta y cinco **mais** 105 : ciento cinco ; 2002 : dos mil dos

Exception : *las Mil y una noches* (*les Mille et une nuits*)

ACCORD ET APOCOPE DES CARDINAUX

Les numéraux cardinaux sont **invariables** à l'exception de *uno* et *ciento*, qui s'accordent en genre avec le nom, et de *millón*, qui s'accorde en nombre.

una respuesta
une réponse

sesenta y una respuestas
soixante et une réponses

doscient**os** dólares
deux cents dollars

trescient**as** libras esterlinas
trois cents livres sterling

- Esta casa debe de costar como mínimo un **millón**,
  tal vez dos **millones**.
  Cette maison doit coûter au minimum un million, peut-être
  deux millions.

APOCOPE

Uno et *ciento* perdent leur dernière voyelle ou leur dernière
syllabe dans certains contextes. C'est ce qu'on appelle
une « apocope ».

Uno devient *un* devant un nom masculin, même si un adjectif
les sépare.

un euro	**un** solo euro
un euro	un seul euro

Ciento devient *cien* lorsqu'il est employé seul ou devant
un nom ou devant un chiffre qu'il multiplie.

cien	**cien** personas
cent	cent personnes

cien mil personas
cent mille personnes (100 x 1 000)

mais

ciento cuarenta
cent quarante (100 + 40)

MIL ET AU-DELÀ

Mil est invariable : *tres mil*. *Mil(es)* peut être l'équivalent
de « une énorme quantité ». *Miles de* peut aussi correspondre
à « des milliers ».

1 000 : mil *ou* un millar (mille, un millier)
1 000 x n : miles *ou* millares (des milliers)
1 000 000 000 : mil millones (un milliard)

- Tiene siempre **mil** problemas.
  Il a toujours des tas de problèmes.
- Había **miles de** espectadores.
  Il y avait des milliers de spectateurs.

POURCENTAGES ET DÉCIMALES

Les **pourcentages** sont toujours précédés de l'article (défini ou indéfini).

- **El 73%** (setenta y tres por ciento) de los diputados votó a favor de la nueva ley.
  73 % des députés ont voté pour la nouvelle loi.

EXPRESSION APPROXIMATIVE D'UN NOMBRE

- **Distance :** *unos/unas* (quelques), *cerca de, en torno a* (autour de, environ) + nom.
  - De aquí a la próxima gasolinera hay **unos/en torno a** 15 km.
    D'ici à la prochaine station-service il y a quelques/environ 15 km.

- **Heure :** *sobre, hacia, a eso de* ou *alrededor de* + heure.
  - Se acostaron **sobre** *ou* **hacia** las 3 de la mañana.
    Ils se sont couchés vers 3 heures du matin.

- **Quantité élevée :** *un montón de, la mar de, una pila de* + nom au pluriel.
  - Tienen **la mar de** deudas.
    Ils ont un tas de dettes.

FORMES DES ORDINAUX

1º primero	13º decimotercero
2º segundo	14º decimocuarto
3º tercero	15º decimoquinto
4º cuarto	16º decimosexto
5º quinto	17º decimoséptimo
6º sexto	18º decimoctavo
7º séptimo	19º decimonoveno
8º octavo	20º vigésimo
9º noveno	21º vigesimoprimero, etc.
10º décimo	último (dernier)
11º undécimo, decimoprimero	penúltimo (avant-dernier)
12º duodécimo, decimosegundo	antepenúltimo (antépénultième)

ACCORD ET APOCOPE DES ORDINAUX

➥ Les adjectifs ordinaux s'accordent en genre et en nombre avec le nom qu'ils accompagnent.

> el octav**o** congreso
> le huitième congrès

> las octav**as** jornadas de investigación pediátrica
> les huitièmes journées de recherche en pédiatrie

➥ De 11º à 29º, les formes peuvent s'écrire en deux mots. Dans ce cas, il y a accord en genre des **deux** numéraux avec le nom.

> la vigésim**a** tercer**a** *ou* vigesim**o**tercer**a** edición
> la 23e édition

APOCOPE

Primero et ***tercero*** deviennent *primer* et *tercer* devant un nom masculin singulier. Leur forme pleine est employée quand ils remplacent le nom ou quand ils le suivent.

> —¿Vives en el **primer** piso o en el **tercero**? —En el piso **primero**.
> Tu habites au premier ou au troisième étage ? – Au premier étage.

EMPLOIS DES ORDINAUX

Les adjectifs ordinaux sont très peu utilisés. **À partir de 10°** (mais parfois aussi avec des ordinaux inférieurs), on les remplace par des cardinaux. Comparez :

la planta séptima *ou* siete : le 7e étage

el piso veintidós : le 22e étage

el veinticinco aniversario : le 25e anniversaire

Les ordinaux **précèdent** généralement le nom sauf quand il s'agit d'un roi, d'un pape, d'un siècle et parfois d'un numéro de chapitre.

la primera clase : la première classe

el siglo quinto : le Ve siècle

MEDIO ET *LA MITAD DE*

Medio (demi) s'accorde en genre et en nombre avec le nom qu'il accompagne.

cinco días y medio (día) : cinq jours et demi

una hora y media : une heure et demie

media hora : une demi-heure

La mitad de correspond à « la moitié de ».

- **La mitad de** los pasajeros hizo escala en Madrid.
  La moitié des passagers a fait une escale à Madrid.

⑩ Les indéfinis (1)

LES PRINCIPAUX INDÉFINIS

algún / alguno(s) / alguna(s) : quelque(s)
ningún / ninguno(s) / ninguna(s) : aucun(s) / aucune(s)
cualquier(a) / cualesquiera : n'importe quel(s) / quelle(s)
otro(s) / otra(s) : autre(s)
cierto(s) / cierta(s) : certain(s) / certaine(s)
varios / varias : plusieurs
mucho(s) / mucha(s) : beaucoup
poco(s) / poca(s) : peu
bastante(s) : assez
demasiado(s) / demasiada(s) : trop
suficiente(s) : suffisamment de
todo(s) / toda(s) : tout (tous) / toute(s)
cada : chaque
más : plus
menos : moins
algo : quelque chose
nada : rien
alguien : quelqu'un
nadie : personne

FONCTIONS ET ACCORD DES INDÉFINIS

La plupart des indéfinis peuvent fonctionner comme **adjectifs**
ou comme **pronoms**. Ils **s'accordent** en genre et en nombre
avec le nom qu'ils accompagnent ou qu'ils remplacent.

- **Algunos candidatos** dominaban bien **varias
  lenguas**. [adjectif]
  Quelques candidats maîtrisaient bien plusieurs langues.
- **Algunos** dominaban bien **varias**. [pronom]
  Quelques-uns en maîtrisaient bien plusieurs.

Certains indéfinis fonctionnent aussi comme **adverbes**,
auquel cas ils restent **invariables**.

- Están **bastante** satisfechos. [adverbe]
  Ils sont assez satisfaits.

ALGUNO ET NINGUNO

▬ *Alguno* (un / quelque) et *ninguno* (aucun) précèdent généralement le nom.

APOCOPE

Ils perdent le *-o* final devant un nom masculin singulier.
¿Hay **algún** voluntario?
Y a-t-il un volontaire?
No le veo **ningún** inconveniente.
Je n'y vois aucun inconvénient.

▬ *Ninguno(s) / Ninguna(s)* peuvent suivre le nom.
Dans les phrases négatives, *alguno(s) / alguna(s)* peuvent aussi suivre le nom avec le sens de *ninguno*.

- No le veo inconveniente **ninguno** *ou* **alguno**.
  Je n'y vois aucun inconvénient.

- sin **ninguna** duda *ou* sin duda **alguna**
  sans aucun doute

▸ PHRASE NÉGATIVE P. 83

ALGO, NADA, ALGUIEN ET NADIE

▬ *Algo* (quelque chose) et *nada* (rien) fonctionnent comme des **pronoms**. Mais ils peuvent aussi fonctionner comme **adverbes** avec le sens de «un peu» pour *algo* et «pas du tout» pour *nada*.

- Tengo que contarte **algo**. [pronom]
  J'ai quelque chose à te raconter.
- ¿Has podido dormir **algo**? [adverbe]
  Tu as pu dormir un peu?
- Al final no he comprado **nada**. [pronom]
  Finalement, je n'ai rien acheté.
- No me gusta **nada** su nuevo corte de pelo. [adverbe]
  Je n'aime pas du tout sa nouvelle coupe de cheveux.

▬ *Algo de* et *nada de* s'utilisent avec des noms indénombrables.

- Hizo **algo de** frío.
  Il a fait un peu froid.
- No tengo **nada de** hambre.
  Je n'ai pas faim du tout.

Alguien (quelqu'un) et *nadie* (personne) fonctionnent comme des pronoms.

- Te ha llamado **alguien**.
  Quelqu'un t'a appelée.
- Esto aún no lo sabe **nadie**.
  Ça, encore personne ne le sait.

CUALQUIERA (PLURIEL : CUALESQUIERA)

Cualquier(a) adjectif (n'importe quel) peut précéder ou suivre le nom.

APOCOPE

Cualquiera perd son *-a* final devant un nom masculin ou féminin singulier même s'il est séparé du nom par *otro/otra* ou par un adjectif qualificatif.

Podemos ir a **cualquier** restaurante/a **cualquier** cafetería.
Nous pouvons aller dans n'importe quel restaurant/n'importe quel café.
Llámame en **cualquier otro momento**.
Appelle-moi à n'importe quel autre moment.

Sa forme pleine est employée quand il suit le nom.
Podemos ir a un restaurante **cualquiera**.
Nous pouvons aller dans n'importe quel restaurant.

Cualquiera pronom est l'équivalent de « n'importe qui » ou « n'importe lequel ».

- Esto puede pasarle a **cualquiera**.
  Cela peut arriver à n'importe qui.

Le pluriel de *cualquiera* est *cualesquiera*.

- Elige tres cartas **cualesquiera**.
  Choisis trois cartes, n'importe lesquelles.

OTRO

Otro est l'équivalent du français « autre » (pronom ou adjectif). Mais en espagnol il n'est jamais précédé de l'article indéfini.

- Ella lee **el otro periódico/el otro**.
  Elle lit l'autre journal/l'autre.
- Ella lee **otro periódico/otro**.
  Elle lit un autre journal./Elle en lit un autre.

▸ AUTRE(S) P. 110

(11) Les indéfinis (2)

MUCHO, POCO, VARIOS, BASTANTE, DEMASIADO, SUFICIENTE

⟶ *Mucho* (beaucoup), *poco* (peu), *bastante* (assez) et *demasiado* (trop) peuvent fonctionner comme **adverbes** (invariables) ou bien comme **adjectifs** ou **pronoms**, auquel cas ils s'accordent avec le nom qu'ils accompagnent ou qu'ils remplacent. *Varios* (plusieurs) ne s'emploie que comme adjectif ou pronom.

- Trabaja **mucho/poco/bastante/demasiado**. [adverbe]
  Il travaille beaucoup/peu/assez/trop.
- De joven tuvo **muchas** novias. [adjectif]
  Dans sa jeunesse il a eu beaucoup de copines.
- ¿Quedan **bastantes** cervezas para todos? [adjectif]
  Il reste assez de bières pour tout le monde?
- ¿Quedan **bastantes**? [pronom]
  Il en reste assez?

⟶ *Suficiente(s)* est un adjectif. Il peut se placer avant ou après le nom qu'il accompagne et avec lequel il s'accorde en nombre. *Lo suficiente* et *suficientemente* sont des formes adverbiales.

- No tienen **suficientes** clientes *ou* clientes **suficientes**.
  [adjectif]
  Ils n'ont pas suffisamment de clients.
- No me interesa **lo suficiente** *ou* **suficientemente**.
  [adverbe]
  Cela ne m'intéresse pas suffisamment.

TODO

⟶ *Todo(s)/Toda(s)* signifie « tout (tous) » / « toute(s) ».

- Ha estado trabajando **toda** la tarde.
  Il a travaillé tout l'après-midi.
- **Todos** querían un autógrafo.
  Ils voulaient tous un autographe.

Todo un/Toda una + nom équivaut à «un vrai/une vraie
+ nom».

- Fue **toda una** historia.
  Ça a été toute une histoire.

CADA

Cada (chaque) est invariable et accompagne toujours
un nom au singulier.

- **Cada** verano vamos a un sitio diferente.
  Chaque été, nous allons à un endroit différent.

Cada + numéral équivaut à «tous les/toutes les».

- **Cada** 200 km hacíamos una parada.
  Tous les 200 km nous faisions une halte.

Cada vez/Cada día + comparatif équivaut à «de plus en plus»,
«de moins en moins», «de mieux en mieux», etc.

- **Cada vez** nos vemos menos.
  Nous nous voyons de moins en moins.

MÁS / MENOS

Quand **más/menos** accompagnent des adjectifs, des verbes
et des adverbes, ils équivalent à «plus»/«moins»;
quand ils accompagnent des noms, à «plus de»/«moins de».

- Está **más** concentrado, habla **menos** y trabaja **más**
  deprisa.
  Il est plus concentré, il parle moins et il travaille plus vite.

- Ahora como **más** verdura y **menos** carne.
  Maintenant je mange plus de légumes et moins de viande.

▸ PLUS / MOINS, LE PLUS / LE MOINS P. 142
▸ COMPARATIFS P. 38

FORMES DES PRONOMS PERSONNELS

SUJET	COD	COI	COMPLÉMENT APRÈS UNE PRÉPOSITION
yo	me	me	mí
tú	te	te	ti
él/ella/ello/usted	lo/la/se	le/se	él/ella/ello/usted/sí
nosotros/nosotras	nos	nos	nosotros/nosotras
vosotros/vosotras	os	os	vosotros/vosotras
ellos/ellas/ustedes	los/las/se	les/se	ellos/ellas/ustedes/sí

➤ Avec la préposition *con*, les pronoms compléments présentent trois formes particulières : ***conmigo*** (avec moi), ***contigo*** (avec toi), ***consigo*** (avec soi). Aux autres personnes, les formes sont régulières : *con él/usted/nosotros*...

➤ Avec les prépositions *según* (selon), *entre* (entre) et *hasta* (dans le sens de «même»), on emploie la forme sujet du pronom.

EMPLOIS DES PRONOMS PERSONNELS

➤ Les pronoms sujets sont moins utilisés qu'en français, car le verbe conjugué porte la marque de la personne (*quieres* : tu veux). Ils permettent de lever une ambigüité ou de marquer une insistance.

- No **sabía yo** que **él vendría** tan pronto.
  Je ne savais pas qu'il viendrait si tôt.

- Aquí mando **yo**.
  Ici, c'est moi qui commande.

➤ À la forme de politesse *usted/ustedes* correspondent des formes verbales, des pronoms personnels et des possessifs de 3e personne (et non de 2e personne du pluriel comme en français). À l'écrit, *usted* est souvent abrégé *Ud.* ou *Vd.*, *ustedes Uds.* ou *Vds*.

- ¿Señora, **quiere** (usted) que **la** acompañe a **su** casa?
  Madame, voulez-vous que je vous raccompagne chez vous?

Les pronoms personnels compléments de 3ᵉ personne *lo(s)*
et *la(s)* sont COD, *le(s)* COI.

- A Javier **lo** veo muy a menudo. [COD]
  Javier, je le vois très souvent.

- **Le** di tu regalo. [COI]
  Je lui ai donné ton cadeau.

NOTEZ BIEN
Cependant, en Espagne, on entend souvent *le(s)* à la place
de *lo(s)* et *la* à la place de *le*. De ce fait, l'emploi de *le* à côté
de *lo* pour désigner une personne de sexe masculin a fini
par entrer dans la norme.

A Javier **lo** *ou* **le** veo muy a menudo.
Javier, je le vois très souvent.

Se s'emploie dans des structures réfléchies et réciproques
relatives à une 3ᵉ personne. *Sí* a les mêmes fonctions
et s'emploie après une préposition. Il est parfois renforcé
par *mismo*.

- **Se** miró al espejo. [réfléchi]
  Il se regarda dans la glace.

- Ya no **se** hablan. [réciproque]
  Ils ne se parlent plus.

- No está muy seguro **de sí mismo**.
  Il n'est pas très sûr de lui.

Avec un nom COI apparaît aussi généralement le pronom *le(s)*.

- **Le** he contado **a Mario** una mentira.
  J'ai raconté un mensonge à Mario.

COMBINAISON DE DEUX PRONOMS

Le pronom COI précède **toujours** le pronom COD.

- **Me lo** dijo Laura.
  Laura me l'a dit.

Lorsque deux pronoms de 3e personne se suivent, ils le font aussi dans l'ordre **COI + COD** et le premier devient *se*.

le(s) + lo(s)/la(s) ➔ **se** + lo(s)/la(s)

- Llevé el libro a Juan. [*le* = a Juan + *lo* = el libro] ➔ **Se lo** llevé.
  J'ai apporté le livre à Juan. ➔ Je le lui ai apporté.

- Enseñaré las fotos a mis padres. [*les* = a mis padres + *las* = las fotos] ➔ **Se las** enseñaré.
  Je montrerai les photos à mes parents. ➔ Je les leur montrerai.

Lorsque l'un des pronoms est **réfléchi,** il précède toujours l'autre.

- **Se te** ha caído un papel.
  Tu as fait tomber un papier.

PLACE DES PRONOMS PAR RAPPORT AU VERBE

Avec les formes verbales conjuguées, les pronoms compléments sont placés **avant**.

- **Le** contestaré mañana.
  Je lui répondrai demain.

Avec un verbe à l'infinitif, au gérondif ou à l'impératif affirmatif, les pronoms compléments sont **obligatoirement** placés **après** et s'écrivent **soudés** à la forme verbale.

- Es difícil localizar**lo**.
  Il est difficile de le joindre.

- Hicisteis mal diciéndo**selo**.
  Vous avez mal fait en le lui disant.

- Siénta**te** y cuénta**melo**.
  Assieds-toi et raconte-le-moi.

Dans la plupart des périphrases avec infinitif ou gérondif, les pronoms compléments peuvent soit précéder l'auxiliaire soit suivre l'infinitif ou le gérondif.

- **Se lo** quería regalar yo *ou* Quería regalár**selo** yo.
  Je voulais le lui offrir moi-même.

⑬ Les adjectifs qualificatifs

FORMATION DU FÉMININ

- Les adjectifs masculins **en -o** font généralement leur féminin **en -a**. C'est aussi le cas de tous les participes passés.

  bonito / bonita : joli / jolie
  cansado / cansada : fatigué / fatiguée

- Font aussi leur **féminin en -a** les adjectifs suivants.

  Les adjectifs terminés par -dor, -tor, -sor : *encantador / encantadora* (charmant / charmante), *seductor / seductora* (séducteur / séductrice).

  Les adjectifs terminés par -án : *holgazán / holgazana* (paresseux / paresseuse).

  Les adjectifs terminés par un suffixe affectif : *chiquitín / chiquitina* (tout petit / toute petite), *grandullón / grandullona* (très grand / très grande).

  Les adjectifs d'origine géographique terminés par une consonne : *español / española, andaluz / andaluza*.

- Les autres adjectifs sont **invariables** en genre : *grande* (grand / grande), *deportista* (sportif / sportive), *fácil* (facile).

FORMATION DU PLURIEL

- Les adjectifs terminés par une voyelle font leur pluriel en **-s** : *caro* (cher) → *caros*.

- Les adjectifs terminés par une consonne font leur pluriel en **-es** : *difícil* (difficile) → *difíciles*.

- Les adjectifs terminés par une voyelle non tonique + -s restent **invariables** : *gratis* (gratuit) → *gratis*.

APOCOPE DES ADJECTIFS

Les adjectifs *bueno* et *malo* perdent leur voyelle finale devant un nom masculin singulier.

- Guardo un **buen**/**mal** recuerdo suyo.
  Je garde un bon/un mauvais souvenir de lui.

L'adjectif *grande* perd sa syllabe finale devant un nom masculin ou féminin singulier.

- Pedro es un **gran** arquitecto, con **gran** experiencia.
  Pedro est un grand architecte ; il a une grande expérience.

PLACE DES ADJECTIFS QUALIFICATIFS

L'adjectif qualificatif suit généralement le nom, mais dans certains cas peut aussi le précéder. Il n'existe pas de règles fixes, mais plutôt des tendances liées au sens et à l'expressivité.

Adjectifs qui suivent généralement le nom.

Adjectifs qui indiquent une propriété physique
  un gato **gordo** : un gros chat

Adjectifs qui font entrer le nom dans une catégorie
  la novela **policiaca** : le roman policier

Adjectifs qui peuvent précéder le nom (avec une intention expressive).

- ¡Qué **genial** idea!
  Quelle idée géniale !

Adjectifs qui précèdent toujours le nom : *mero* (simple), *presunto* (présumé) et *supuesto* (supposé).

- El **presunto** ladrón fue descubierto por una **mera** casualidad.
  Le voleur présumé fut découvert par un simple hasard.

NOTEZ BIEN
Le sens de certains adjectifs varie en fonction de leur place.
una gran mujer (une grande femme)
→ una mujer grande (une femme forte)
una nueva casa (une nouvelle maison)
→ una casa nueva (une maison neuve)

(14) Comparatifs et superlatifs

CONSTRUCTIONS COMPARATIVES : SUPÉRIORITÉ ET INFÉRIORITÉ

Supériorité : *más* + adjectif / nom / adverbe + *que*

- Este barrio es **más** tranquilo **que** el otro.
  Ce quartier est plus calme que l'autre.

- Tenemos **más** clientes **que** antes porque ahora cerramos **más** tarde **que** los demás.
  Nous avons plus de clients qu'avant parce que maintenant nous fermons plus tard que les autres.

Comparatifs de supériorité irréguliers

grande → mayor : grand → plus grand, plus âgé
pequeño → menor : petit → plus petit
bueno → mejor : bon → meilleur
malo → peor : mauvais → pire
bajo → inferior : bas → inférieur
alto → superior : haut → supérieur

- Tu ordenador es **mejor que** el mío.
  Ton ordinateur est meilleur que le mien.

- Vicente es **mayor que** su hermano.
  Vicente est plus âgé que son frère.

Inferiorité : *menos* + adjectif / nom / adverbe + *que*

- Ella era **menos** optimista **que** tú.
  Elle était moins optimiste que toi.

- Ellos tienen **menos** obligaciones **que** nosotros.
  Ils ont moins d'obligations que nous.

- Mi casa está **menos** lejos **que** la tuya.
  Ma maison est moins loin que la tienne.

NOTEZ BIEN

Si le deuxième terme de la comparaison est une proposition, on emploie la tournure *de* + article défini accordé avec le premier terme + *que* (*del que, de la que, de lo que...*).

Tiene **más** dinero **del que** te imaginas.
Il a plus d'argent que tu ne l'imagines.

CONSTRUCTIONS COMPARATIVES : ÉGALITÉ

Tan + adjectif / adverbe + *como*

- Es **tan** tímido **como** su padre.
  Il est aussi timide que son père.

- No corro **tan** deprisa **como** él.
  Je ne cours pas aussi vite que lui.

Tanto(s) / tanta(s) + nom + *como*

- Tengo **tanto** miedo y **tantas** dudas **como** tú.
  J'ai aussi peur et autant de doutes que toi.

Verbe + *tanto como*

- No les interesaba **tanto como** suponíamos.
  Ça ne les intéressait pas autant qu'on le supposait.

SUPERLATIFS

Superlatifs relatifs : *el más / el menos* + adjectif

- Este es **el hotel más caro** de la ciudad.
  Celui-ci est l'hôtel le plus cher de la ville.

NOTEZ BIEN
Quand le nom précède le superlatif, on ne répète pas l'article : *el hotel Ø más caro.*

Superlatifs absolus : *muy* + adjectif ou *-ísimo(s) / -ísima(s)*

Muy + adjectif est toujours possible, alors que tous les adjectifs n'acceptent pas le suffixe *-ísimo* : *independiente* (indépendant) → *muy independiente*, *heroico* (héroïque) → *muy heroico*, *nimio* (sans importance) → *muy nimio*.

- Es **inteligentísimo**, pero también **muy despistado**.
  Il est très intelligent, mais aussi très tête en l'air.

NOTEZ BIEN
Certains adjectifs changent légèrement leur radical avec le suffixe *-ísimo* ou peuvent avoir deux formes.
caliente (chaud) → calentísimo
antiguo (ancien) → antiquísimo
fuerte (fort) → fuertísimo *ou* fortísimo

FORMES DES RELATIFS

MASC. SING.	FÉM. SING.	MASC. PLUR.	FÉM. PLUR.	NEUTRE SING.
		que		

MASC. SING.	FÉM. SING.	MASC. PLUR.	FÉM. PLUR.	NEUTRE SING.
el que	la que	los que	las que	lo que
quien		quienes		–
el cual	la cual	los cuales	las cuales	lo cual
cuanto	cuanta	cuantos	cuantas	cuanto
cuyo	cuya	cuyos	cuyas	–

adverbes relatifs	[préposition] + donde (où)	como (comme)

▸ SUBORDONNÉES CIRCONSTANCIELLES (1) P. 95-96

FONCTIONS DES RELATIFS

Les relatifs renvoient explicitement à un élément déjà apparu dans le discours (antécédent). Parfois ils ont une référence implicite.

- No vi a Óscar, **quien,** por cierto, me debe dinero.
  [antécédent = *Óscar*]
  Je n'ai pas vu Óscar, qui, soit dit en passant, me doit de l'argent.

- **Quien** busca halla.
  [référent implicite = *la persona que*]
  Qui cherche trouve.

Ils fonctionnent comme des subordonnants car ils introduisent des propositions relatives. Ils ont dans la proposition relative les fonctions propres aux noms (sujet, COD, COI, compléments circonstanciels...).

- Me gusta ese coche **que** consume muy poco.
  [*que* = sujet de *consume*]
  J'aime cette voiture qui consomme très peu.

- Me gusta ese coche **que** ves ahí.
  [*que* = COD de *ves*]
  J'aime cette voiture que tu vois là.

RELATIVES DÉTERMINATIVES ET EXPLICATIVES

➥ Les relatives **déterminatives** restreignent le sens de l'antécédent. Leur suppression entraîne la perte d'une information fondamentale pour l'interprétation de la principale. Il n'y a pas de pause à l'oral, ni de virgule à l'écrit entre l'antécédent et la relative.

- Los empleados que están en huelga no han venido hoy a trabajar.
  Les employés qui font grève ne sont pas venus travailler aujourd'hui. [Seuls les employés qui font grève ne sont pas venus travailler.]

➥ Les relatives **explicatives** apportent un complément d'information sur l'antécédent, mais leur suppression ne modifie pas le sens général de la principale. À l'oral elles sont séparées de l'antécédent par une pause, rendue par des virgules à l'écrit.

- Los empleados, que están en huelga, no han venido hoy a trabajar.
  Les employés, qui font grève, ne sont pas venus travailler aujourd'hui. [Tous les employés font grève et aucun n'est venu travailler.]

RELATIF SUJET (QUI)

➥ L'antécédent est une chose : *que* (invariable).

- El mercado **que** abre hasta las nueve no queda lejos de aquí. [*que* = sujet de *abrir*]
  Le marché qui est ouvert jusqu'à 21 heures n'est pas loin d'ici.

➥ L'antécédent est une personne : *que*, parfois *quien(es)* ou *el cual*. Dans les relatives déterminatives, *que* est obligatoire et *quien(es)* exclu.

- El niño **que** está cantando es su hijo.
  L'enfant qui chante est son fils.

Dans les relatives explicatives, on a le choix entre *que* (le plus fréquent en langue courante), *quien(es)* ou *el cual / la cual*... (plus soutenu).

- Jorge, **que** *ou* **quien** sabe bailar bien salsa, nos dio una clase.
  Jorge, qui sait bien danser la salsa, nous a donné un cours.

RELATIF COD (QUE)

➤ Si l'antécédent est une chose : *que*.

- No tengo el último disco **que** ha sacado.
  [*que* = COD de *ha sacado*]
  Je n'ai pas le dernier disque qu'il a sorti.

➤ Si l'antécédent est une personne : *al que/a la que*,
a quien(es), *a que*.

- Los amigos **a los que** *ou* **a quienes** saludamos eran
  los organizadores de la feria.
  Les amis que nous avons salués étaient les organisateurs
  de la foire.

RELATIF COI, CIRCONSTANCIEL...

➤ Si l'antécédent est une chose : préposition + *(el) que/(la)*
que (avec omission de l'article parfois) ou + *el cual/la cual*
(plus soutenu).

- El libro **al que** *ou* **al cual** le faltan las tapas es
  un libro de cocina antiguo.
  Le livre auquel il manque la couverture est un vieux livre
  de cuisine.

➤ Si l'antécédent est une personne : préposition + *el que/*
la que, *quien(es)* ou *el cual/la cual*.

- Los vecinos **de quienes** te hablaba viven en el 5°.
  Les voisins dont je te parlais habitent au 5e.

CUYO(S) / CUYA(S)

Cuyo(s)/Cuya(s) fonctionne comme **pronom relatif** : il introduit
une subordonnée relative. Mais il fonctionne aussi comme
déterminant possessif du nom qu'il précède, avec lequel
il s'accorde en genre et en nombre ; il n'est donc **jamais** suivi
de l'article.

- Chus, **cuya** maleta pesaba más de 30 kg, tuvo
  que pagar exceso de equipaje.
  Chus, dont la valise pesait plus de 30 kg, a dû payer
  un supplément de bagage.

➤ DONT P. 127
➤ CELUI P. 117

FORMES DES INTERROGATIFS

MASC. SING.	FÉM. SING.	MASC. PLUR.	FÉM. PLUR.	NEUTRE SING.
		qué		

quién		quiénes		–
cuál		cuáles		–
cuánto	cuánta	cuántos	cuántas	cuánto

adverbes interrogatifs	dónde (où)	cuándo (quand)	cómo (comment)

Les pronoms interrogatifs se prononcent avec un accent tonique et portent **toujours** un accent **écrit** qui les différencie des pronoms relatifs (voir p. 9). Ils ont la même forme dans les phrases interrogatives directes et indirectes.

- ¿**Qué** estaba buscando? [interrogation directe]
  Qu'est-ce que je cherchais ?

- Ya no sé **qué** estaba buscando. [interrogation indirecte]
  Je ne sais plus ce que je cherchais.

Qué et *cuánto(s) / cuánta(s)* peuvent fonctionner comme adjectifs ou comme pronoms.

NOTEZ BIEN
Les points d'interrogation sont doubles en espagnol (¿ ?).

EMPLOIS DES INTERROGATIFS

Qué est invariable. Pronom, il correspond à « que », « qu'est-ce que » ou « quoi ». Adjectif, il correspond à « quel(s) / quelle(s) ».

- ¿**Qué** hay de comer?
  Qu'est-ce qu'il y a à manger ?

- ¿**Qué** ventajas le ves?
  Quels avantages y vois-tu ?

Quién(es) (qui) réfère uniquement à des personnes. Il varie en nombre.

- ¿**Quién** puede ayudarme? [On sollicite l'aide de quelqu'un.]

  ¿**Quiénes** pueden ayudarme? [On sollicite l'aide de plusieurs personnes.]

  Qui peut m'aider?

- Antes de decidirme, quiero saber **quién** irá a tu fiesta.

  Avant de me décider, je veux savoir qui ira à ta fête.

Cuál(es) (quel(s) / quelle(s), lequel / laquelle...) réfère à des choses ou des personnes. Il varie en nombre. Il fonctionne plus souvent comme pronom.

- ¿**Cuál** te ha gustado más?

  Lequel tu as préféré?

- Tienes que decirme **cuáles** son los mejores abogados de derecho conyugal.

  Il faut que tu me dises quels sont les meilleurs avocats de droit conjugal.

- ¿**Qué** cuadro *ou* **Cuál** cuadro te ha gustado más?

  Quel tableau tu as préféré?

Cuánto(s) / Cuánta(s) (combien) sert à interroger sur la quantité, le prix, le temps, le degré... Il est pronom ou adjectif et s'accorde en genre et en nombre avec le nom qu'il accompagne ou qu'il remplace.

- ¿**Cuántas** paradas nos quedan? [adjectif]

  Combien d'arrêts nous reste-t-il?

- No tengo ni idea de **cuántos** seremos. [pronom]

  Je n'ai pas la moindre idée de combien nous serons.

Cómo, **cuándo** et **dónde** introduisent une interrogation circonstancielle. *Dónde* peut être précédé d'une préposition (en dónde, adónde ou a dónde, de dónde, por dónde...).

- ¿**Cómo** te ha ido en la entrevista de trabajo?

  Comment ça s'est passé, ton entretien d'embauche?

- No sé **cuándo** acabarán las obras.

  Je ne sais pas quand vont finir les travaux.

● ¿**Adónde** *ou* ¿**Dónde** se han ido de vacaciones?
Où sont-ils partis en vacances?

FORMES DES EXCLAMATIFS

➥ Les exclamatifs ont les mêmes formes que les interrogatifs sauf *cuál(es)* qui est uniquement interrogatif.

➥ Comme les interrogatifs, les exclamatifs sont toniques et portent toujours un accent écrit qui les différencie des pronoms relatifs (voir p. 9).

➥ Ils interviennent sous la même forme dans les phrases exclamatives directes et indirectes.

● ¡**Qué** nerviosa está! [exclamative directe]
Ce qu'elle est nerveuse !

● No te imaginas **qué** nerviosa está. [exclamative indirecte]
Tu n'imagines pas ce qu'elle est nerveuse.

▸ PHRASE EXCLAMATIVE P. 85

NOTEZ BIEN
Les points d'exclamation sont doubles en espagnol (¡ !).

EMPLOIS DES EXCLAMATIFS

➥ *Qué* peut porter sur un nom, un adjectif ou un adverbe.

● ¡**Qué** actriz!
Quelle actrice !

● ¡**Qué** orgulloso eres!
Comme tu es orgueilleux !

● No sabes **qué** bien dibuja.
Tu ne sais pas comme elle dessine bien.

➥ *Cuándo* introduit une interrogative à valeur exclamative.

● ¡**Cuándo** aprenderás!
Tu n'apprendras donc jamais !

▸ PHRASE EXCLAMATIVE P. 85

FORMES DU PRÉSENT

Formes régulières

1er groupe	cant-(ar) (chanter)	-o, -as, -a, -amos, áis, -an
2e groupe	beb-(er) (boire)	-o, -es, -e, -emos, -éis, -en
3e groupe	viv-(ir) (vivre)	-o, es, -e, -imos, -ís, -en

L'accent tonique tombe sur le radical au singulier et à la 3e personne du pluriel, sur la terminaison aux 1re et 2e personnes du pluriel.

Formes irrégulières : *caber, caer, concluir, conducir, conocer, dar, decir, dormir, hacer, ir, jugar, oír, oler, pedir, pensar, poder, poner, querer, reír, saber, salir, sentir, tener, traer, valer, venir, ver, volver...* (voir p. 233).

EMPLOIS DU PRÉSENT

Le présent situe l'action **au moment où l'on parle** ou dans un laps de temps plus long, que le locuteur considère en cours de déroulement.

- No **podemos** salir porque **nieva** sin parar.
  Nous ne pouvons pas sortir car il neige sans arrêt.

NOTEZ BIEN

Estar au présent + gérondif (être en train de) s'emploie très souvent à la place de la forme simple du présent pour ces actions en cours de déroulement au moment où l'on parle.
Este año, el precio de la vivienda **está bajando**.
Cette année, le prix de l'immobilier est à la baisse.

▶ PÉRIPHRASES VERBALES (2) P. 65

Il sert à exprimer les **vérités générales** et les **habitudes**.

- Las arañas **tienen** ocho patas.
  Les araignées ont huit pattes.
- **Escucho** la radio por la mañana.
  J'écoute la radio le matin.

▬ Il permet de présenter de façon plus vivante des **récits de faits passés** historiques ou personnels.

- Cortés **conquista** el imperio azteca y Pizarro el inca.
  Cortés conquiert l'empire aztèque et Pizarro l'empire inca.

▬ Il peut aussi exprimer un **avenir** plus ou moins proche.

- **Se jubila** dentro de tres años.
  Il part à la retraite dans trois ans.

▬ Il s'utilise parfois à la place de l'**impératif**.

- ¡Ahora mismo te **lavas** los dientes y te **acuestas**!
  Tout de suite, tu te brosses les dents et tu te couches !

▸ FAILLIR P. 132

(18) L'indicatif imparfait et plus-que-parfait

FORMES DE L'IMPARFAIT

Formes régulières

1er groupe	cant-	-aba, -abas, -aba, -ábamos, -abais, -aban
2e/3e groupes	beb-/viv-	-ía, -ías, -ía, -íamos, -íais, -ían

L'imparfait a une conjugaison presque entièrement régulière. Elle est la même pour les verbes des 2e et 3e groupes. Les terminaisons des 1re et 3e personnes du singulier sont identiques. L'accent tonique tombe **toujours** sur les terminaisons.

Formes irrégulières : seuls *ser*, *ir* et *ver* ont un imparfait irrégulier (voir p. 223, 239 et 250).

EMPLOIS DE L'IMPARFAIT

L'imparfait présente des événements **antérieurs au moment où l'on parle**. Il les considère dans leur déroulement, sans référence à leur fin.

- En aquella época **trabajaba** de taxista.
  À cette époque-là, il travaillait comme chauffeur de taxi.

NOTEZ BIEN
Estar à l'imparfait + gérondif (être en train de) s'emploie très souvent à la place de l'imparfait pour présenter une action passée en cours de déroulement.
Justamente **estábamos hablando** de él cuando llegó.
Justement, on parlait de lui quand il est arrivé.

▶ PÉRIPHRASES VERBALES (2) P. 65

L'imparfait peut aussi faire référence à des actions **répétées** dans le passé.

- En mi periodo universitario **iba** a la facultad por las mañanas y **entrenaba** por las tardes.
  Pendant mes études universitaires, j'allais à la fac le matin et je m'entraînais l'après-midi.

Avec certains verbes, il exprime une demande atténuée
et donc plus polie que le présent ou l'impératif. Comparez :

INDICATIF PRÉSENT	INDICATIF IMPARFAIT
—¿Qué desea? —Quiero una barra de pan, por favor. Que voulez-vous ? – Je veux une baguette, s'il vous plaît.	—¿Qué **deseaba**? —**Quería** una barra de pan, por favor. Que voudriez-vous ? – Je voudrais une baguette, s'il vous plaît.
¿Puedes echarme una mano? Tu peux me donner un coup de main ?	**Podías** echarme una mano. Tu pourrais me donner un coup de main.
Pienso encargarte un libro. Je compte te demander de m'acheter un livre.	**Pensaba** encargarte un libro. Je comptais te demander de m'acheter un livre.

LE PLUS-QUE-PARFAIT

Le plus-que-parfait se construit avec l'imparfait de *haber*
+ le participe passé du verbe.

había, habías, había, habíamos, habíais, habían	+ cantado / bebido / vivido

Le plus-que-parfait indique l'antériorité d'une action
par rapport à un moment ou à une autre action du passé.

- Cuando se conocieron, los dos ya **habían estado**
  casados.
  Quand ils se sont rencontrés, l'un et l'autre avaient déjà été
  mariés.

(19) Passé composé et passé simple

FORMES DU PASSÉ COMPOSÉ

Le passé composé se construit avec le présent de *haber* + le participe passé du verbe.

he, has, ha, hemos, habéis, han   + cantado/bebido/vivido

NOTEZ BIEN

Il existe un seul auxiliaire des temps composés en espagnol, *haber*, et le **participe** passé du verbe est toujours **invariable**.

Hemos llegado pronto y **hemos esperado** un rato.
Nous sommes arrivés tôt et nous avons attendu un moment.

FORMES DU PASSÉ SIMPLE

Formes régulières

1er groupe	cant-	-é, -aste, -ó, -amos, -asteis, -aron
2e/3e groupes	beb-/viv-	-í, -iste, -ió, -imos, -isteis, -ieron

Le passé simple des verbes réguliers porte l'accent **sur la terminaison**. Cet accent peut faire la différence entre un passé simple et un présent de l'indicatif ou du subjonctif. Il faut donc veiller à bien le prononcer.

canto (je chante) ≠ cantó (il chanta)
cante (je *ou* il chante) ≠ canté (je chantai)

NOTEZ BIEN

Les formes de la 1re personne du pluriel des verbes en *-ar* et *-ir* sont identiques à celles de l'indicatif présent. C'est grâce au contexte qu'on les différencie.

vivimos : nous vivons *ou* nous vécûmes

Formes irrégulières : *andar, caber, caer, concluir, conducir, dar, decir, dormir, hacer, ir, oír, pedir, poder, poner, querer, reír, saber, sentir, tener, traer, venir, ver...* (voir p. 233).

EMPLOIS DES PASSÉS SIMPLE ET COMPOSÉ

En français, on emploie le passé composé à l'oral comme à l'écrit mais le passé simple uniquement dans la langue écrite formelle. En espagnol, ces deux temps s'emploient sans différence de registre, mais avec une différence de sens.

Le passé composé permet d'exprimer une **action achevée** dans le passé en lien avec le moment où l'on parle parce qu'elle se situe **dans une unité de temps non révolue**.

Le passé simple permet aussi de renvoyer à une **action achevée** dans le passé, mais située **dans une unité de temps révolue**. Comparez :

PASSÉ COMPOSÉ	PASSÉ SIMPLE
Esta semana **he ido** al cine. Cette semaine je suis allé au cinéma. [La semaine n'est pas finie.]	Ayer **fui** al cine. Hier je suis allé au cinéma. [Hier est coupé d'aujourd'hui.]

Les **adverbes** ou **locutions de temps** qui les accompagnent sont donc différents.

PASSÉ COMPOSÉ	PASSÉ SIMPLE
hoy aujourd'hui	ayer hier
ahora maintenant	anoche la nuit passée
esta mañana ce matin	aquella tarde ce soir-là
esta semana cette semaine	la semana pasada la semaine dernière
este año cette année	el año pasado l'année dernière
siempre toujours	en 2001 en 2001
nunca jamais	hace dos/tres días il y a deux/trois jours
todavía encore	hace dos semanas/años il y a deux semaines/années

Cependant, la même période de temps peut être considérée par le locuteur comme révolue ou non **en fonction de facteurs subjectifs**. Pour cette raison, avec un même adverbe ou locution adverbiale, on peut parfois utiliser les deux temps.

- —¿Has visto a Juan?

—Pues lo **vi** esta mañana. [le matin et le soir = deux moments séparés]

—Lo **he visto** esta mañana. [le matin et le soir = une même unité, la journée]

Tu as vu Juan ? – Eh bien, je l'ai vu ce matin.

▸ ESPAGNOL EN AMÉRIQUE P. 153

LE PASSÉ ANTÉRIEUR

Le passé antérieur se construit avec le passé simple de *haber* + le participe passé du verbe.

hube, hubiste, hubo, hubimos, hubisteis, hubieron	+ cantado / bebido / vivido

Il exprime l'antériorité immédiate d'une action par rapport à une autre action passée. Il est de plus en plus souvent remplacé par le passé simple ou le plus-que-parfait.

On le trouve après les conjonctions *en cuanto* (dès que), *tan pronto como* (aussitôt que), *cuando* (quand), *después que* (après que)...

- En cuanto **hubo pronunciado** su discurso, abandonó la sala sin dejar un tiempo de preguntas.

  Dès qu'il eut prononcé son discours, il quitta la salle sans laisser un temps aux questions. [Plus courant : *En cuanto **pronunció** su discurso...*]

FORMES DU FUTUR ET DU CONDITIONNEL

Formes régulières
Le futur et le conditionnel se construisent en ajoutant
à l'infinitif les terminaisons suivantes :

FUTUR	cantar-/beber-/vivir-	-é, -ás, -á, -emos, -éis, -án
CONDITIONNEL	cantar-/beber-/vivir-	-ía, -ías, -ía, -íamos, -íais, -ían

Les terminaisons sont les mêmes pour les trois groupes
et portent toujours l'accent tonique. Au conditionnel,
elles sont identiques aux 1re et 3e personnes du singulier.

Formes irrégulières : *caber, decir, haber, hacer, poder, poner, querer, saber, salir, tener, valer, venir* (voir p. 233).

FORMES DU FUTUR ANTÉRIEUR ET DU CONDITIONNEL PASSÉ

Le futur antérieur se construit avec *haber* au futur
+ le participe passé du verbe.
Le conditionnel passé se construit avec *haber* au conditionnel
+ le participe passé du verbe.

FUTUR ANTÉRIEUR	
habré, habrás, habrá, habremos, habréis, habrán	+ cantado/bebido/vivido
CONDITIONNEL PASSÉ	
habría, habrías, habría, habríamos, habríais, habrían	+ cantado/bebido/vivido

EMPLOIS DU FUTUR

On emploie le futur simple pour référer à une action située
dans l'avenir par rapport au moment où l'on parle.
On emploie le futur antérieur pour une action qui s'accomplira
dans l'avenir mais **antérieurement** à une autre.

- Él **llegará** el domingo, pero yo ya **me habré ido**.
  Il arrivera dimanche, mais moi je serai déjà parti.

Les futurs simple et antérieur peuvent exprimer le **doute** ou la **probabilité.**

- Si no ha venido, es que **estará** enfermo.
  S'il n'est pas venu, c'est qu'il est peut-être malade.
- Te lo **habrá dicho** para asustarte.
  Il te l'a dit probablement pour te faire peur.

Ils peuvent exprimer l'**indignation** dans certaines formules exclamatives.

- Pero, ¡**será** posible, **tendrá** cara dura el tipo!
  Pas possible! Quel culot il a, ce type!

EMPLOIS DU CONDITIONNEL

On emploie le conditionnel pour faire référence à des faits **hypothétiques** dont la réalisation **pourrait** avoir lieu au présent ou au futur (conditionnel simple) ou **aurait pu** avoir lieu au passé (conditionnel passé).

- Si viviéramos más cerca nos **veríamos** más a menudo.
  Si on habitait plus près, on se verrait plus souvent.
- Si hubiéramos vivido más cerca nos **habríamos visto** más a menudo.
  Si on avait habité plus près, on se serait vus plus souvent.

▸ SUBORDONNÉES DE CONDITION P. 100

Le conditionnel sert à atténuer une demande ou un conseil.

- **Deberías** tener más paciencia con él.
  Tu devrais avoir plus de patience avec lui.

Les conditionnels simple et passé peuvent exprimer le **doute** ou la **probabilité** dans un contexte au **passé.**
Avec le conditionnel passé s'ajoute l'antériorité par rapport à une autre action.

- **Tendría** mucho trabajo si no contestó al teléfono.
  Il devait avoir beaucoup de travail s'il n'a pas répondu au téléphone.
- Cuando yo entré en la empresa él ya **se había jubilado.**
  Quand j'ai intégré l'entreprise, il était probablement déjà parti à la retraite.

SUBJONCTIF PRÉSENT

Formes régulières

1er groupe	cant-	-e, -es, -e, -emos, -éis, -en
2e/3e groupes	beb-/viv-	-a, -as, -a, -amos, -áis, -an

NOTEZ BIEN

Attention aux modifications orthographiques (voir p. 8).

tocar (toucher) → toco mais toque

llegar (arriver) → llego mais llegue

rozar (frôler) → rozo mais roce

Formes irrégulières : *caber, caer, concluir, conducir, conocer, decir, dormir, hacer, ir, jugar, oír, oler, pedir, pensar, poder, poner, querer, reír, saber, salir, sentir, tener, traer, valer, venir, ver, volver...* (voir p. 233).

AUTRES TEMPS DU SUBJONCTIF

Aux subjonctifs imparfaits, le radical est le même qu'à la 3e personne du pluriel du passé simple ; on remplace la terminaison *-ron* par les terminaisons du subjonctif imparfait.

canta-/bebie-/vivie- (ron) →	-ra, -ras, -ra, -ramos, -rais, -ran
	-se, -ses, -se, -semos, -seis, -sen

Cela vaut aussi pour les verbes irréguliers : *andar, caber, caer, concluir, conducir, dar, decir, dormir, hacer, ir, oír, pedir, poder, poner, querer, reír, saber, sentir, tener, traer, valer, venir, ver...* (voir p. 233).

NOTEZ BIEN

L'accent est écrit à la 1re personne du pluriel (voir p. 221).

cantáramos   bebiésemos   dijéramos

Le subjonctif passé se construit avec *haber* au présent du subjonctif + le participe passé du verbe.

haya, hayas, haya, hayamos, hayáis, hayan	+ cantado/bebido/vivido

Le subjonctif plus-que-parfait se construit avec *haber* à l'imparfait du subjonctif + le participe passé du verbe.

hubiera, hubieras, hubiera, hubiéramos, hubierais, hubieran **ou** hubiese, hubieses, hubiese, hubiésemos, hubieseis, hubiesen	+ cantado / bebido / vivido

CONCORDANCE DES TEMPS

Les différents temps du subjonctif s'emploient surtout dans des propositions subordonnées et sont soumis à la **concordance des temps**. Celle-ci se produit entre le verbe de la principale et celui de la subordonnée qui peut être à l'indicatif ou au subjonctif. Voici les **règles de base**. (Dans la pratique, certains écarts sont possibles.)

▸ INDICATIF OU SUBJONCTIF P. 68
▸ PROPOSITIONS SUBORDONNÉES P. 92-102

Principales exprimant un ordre, un souhait, un regret, une crainte

Subordonnée généralement au subjonctif présent si le verbe de la principale est au présent ou au futur.

- Necesito / Necesitaré que **me ayudes**.
  J'ai besoin / J'aurai besoin que tu m'aides.

Subordonnée généralement au subjonctif imparfait si le verbe de la principale est à l'imparfait, au passé simple, au plus-que-parfait, au conditionnel présent ou passé.

- Quería / Quise / Había querido que **me ayudaras**.
  Je voulais / J'ai voulu / J'avais voulu que tu m'aides.

- Querría / Habría querido que **me ayudaras**.
  Je voudrais / J'aurais voulu que tu m'aides.

Subordonnée au subjonctif imparfait ou présent si le verbe de la principale est au passé composé.

- He querido que **se quedara** a cenar, pero no ha podido. [L'action de la subordonnée se situe dans le passé.]
  J'ai voulu qu'il reste dîner, mais il n'a pas pu.

- Me ha dicho que **llame** más tarde.
  [L'action de la subordonnée se situe dans le futur.]
  Il m'a dit de rappeler plus tard.

Autres types de principales

Si le verbe de la principale est au présent ou au futur, le verbe de la subordonnée peut être au présent, au passé ou au futur.

- Dudo que me quiera *ou* me quisiera.
  Je doute qu'il m'aime.

- Dudo que me haya querido *ou* me hubiera querido.
  Je doute qu'il m'ait aimé.

Si le verbe de la principale est au passé, le verbe de la subordonnée doit aussi être au passé.

- Dudé que me quisiera / me hubiera querido.
  Je doutai qu'il m'aimât / qu'il m'eût aimé.

EMPLOIS DES FORMES EN *-RA* ET EN *-SE* DU SUBJONCTIF IMPARFAIT

Les formes en *-ra* et en *-se* sont équivalentes, mais à l'oral la forme en *-ra* est plus fréquente en Espagne et en Amérique. **Dans deux contextes, seule la forme en *-ra* est possible.**

Quisiera et *debiera* s'emploient comme équivalents du **conditionnel,** pour exprimer poliment une demande ou un conseil.

- **Quisiera** una barra de pan.
  Je voudrais une baguette.

- No **debieras** perder tanto tiempo.
  Tu ne devrais pas perdre autant de temps.

La forme en *-ra* peut avoir dans la langue écrite une valeur d'**indicatif plus-que-parfait** ou de **passé simple** surtout dans les relatives et dans les circonstancielles de temps.

- Frida Kahlo, quien **naciera** en Coyoacán en 1907, es la pintora mexicana más famosa.
  Frida Kahlo, qui est née à Coyoacán en 1907, est la femme peintre mexicaine la plus connue.

(22) L'impératif

FORMES DE L'IMPÉRATIF

L'impératif a **deux formes spécifiques** (*tú* et *vosotros*) employées pour l'expression affirmative. Pour le reste des formes, on emploie le subjonctif présent.

(tú)	**canta**	no cantes
	bebe	no bebas
	escribe	no escribas
(usted)	cante	no cante
	beba	no beba
	escriba	no escriba
(nosotros)	cantemos	no cantemos
	bebamos	no bebamos
	escribamos	no escribamos
(vosotros)	**cantad**	no cantéis
	bebed	no bebáis
	escribid	no escribáis
(ustedes)	canten	no canten
	beban	no beban
	escriban	no escriban

Formes irrégulières : *concluir, decir, dormir, hacer, ir, jugar, oír, oler, pedir, pensar, poder, poner, querer, reír, salir, sentir, tener, venir, volver...* (voir p. 233).

LES PRONOMS COMPLÉMENTS

Les pronoms compléments sont **obligatoirement** placés **après** le verbe à l'impératif et s'écrivent **soudés**. La forme verbale suivie de(s) pronom(s) conserve l'**accent** tonique sur la même syllabe qu'à la forme simple et suit les règles générales de l'accentuation écrite.

- Acába**lo** y mánda**melo** lo antes posible.
  Termine-le et envoie-le-moi le plus tôt possible.

▸ PRONOMS PERSONNELS P. 33
▸ ACCENTUATION P. 8

Avec la négation, les pronoms compléments se placent **avant** le verbe au subjonctif.

- No **se lo** digas.
  Ne le lui dis pas.

À la forme ***nosotros***, l'impératif perd son -*s* final au contact du pronom réfléchi *nos*.

tranquilicemo**s** + nos → tranquilicémonos (calmons-nous)

À la forme ***vosotros***, il perd son -*d* final au contact du pronom réfléchi *os*.

calla**d** + os → callaos (taisez-vous)

Seule exception : *idos* (allez-vous-en).

EMPLOIS DE L'IMPÉRATIF ET ÉQUIVALENTS

L'impératif sert à donner des ordres, des instructions, des conseils, et à exprimer des conditions.

- **Haga** click en "continuar".
  Cliquez sur « continuer ».

- **Tóma**telo con un poco de humor, hombre.
  Allez, prends-le avec un peu d'humour.

On emploie parfois l'**infinitif** à la place de l'impératif pour donner des instructions à la 2e personne du singulier ou du pluriel.

- **Lavar** con agua fría y no **usar** lejía.
  Laver à l'eau froide et ne pas utiliser d'eau de Javel.

***A* + infinitif** remplace l'impératif dans un registre familier aux 2e personnes du singulier et du pluriel.

- ¡**A trabajar**!
  Au travail !

Dans la langue populaire, l'infinitif est souvent employé pour la 2e personne du pluriel.

- ¡**Pasar, pasar**!
  Entrez, entrez !

- ¡**Callaros o iros**!
  Taisez-vous ou allez-vous-en !

EMPLOIS DE L'INFINITIF

L'infinitif peut exercer dans la phrase les **fonctions d'un nom**.

- Aquí está prohibido **fumar**. [infinitif sujet]
  Fumer est interdit ici.

- Me han propuesto **veranear** con ellos. [infinitif COD]
  Ils m'ont proposé de passer mes vacances avec eux.

- Estaré encantado de **conocer**le. [infinitif complément d'un adjectif]
  Je serai ravi de le connaître.

Précédé d'une **préposition**, il forme diverses subordonnées circonstancielles.

***Al* + infinitif** : subordonnée de cause ou de temps (simultanéité)

- **Al hacer**se de noche tan pronto, da pereza salir.
  Comme il fait nuit très tôt, on n'a pas envie de sortir.

- Llegó él **al ir**te tú.
  Il est arrivé quand tu partais.

***De* + infinitif** : subordonnée de condition

- **De comprar**me ahora un piso, no lo haría en el centro.
  Si je m'achetais un appartement maintenant, ce ne serait pas dans le centre.

▸ PRÉPOSITIONS (2) P. 80

FORMES DU GÉRONDIF

Formes régulières

1er groupe	cant-	-ando
2e/3e groupes	beb-/viv-	-iendo

NOTEZ BIEN

Les verbes des 2e et 3e groupes dont le radical se termine par une voyelle prennent la terminaison *-yendo* : *leer* → *leyendo*, *caer* → *cayendo*, *oír* → *oyendo*, *ir* → *yendo*.

Formes irrégulières : *caer, concluir, decir, dormir, ir, oír, pedir, poder, poner, reír, sentir, traer, venir...* (voir p. 233).

EMPLOIS DU GÉRONDIF

Subordonnées de temps
L'action du gérondif peut exprimer la simultanéité ou l'antériorité immédiate par rapport à l'action de la principale.

- Me he cruzado con él **subiendo** la escalera.
  Je l'ai croisé en montant l'escalier.

- **Saliendo** del metro tienes que coger a la derecha.
  En sortant du métro, tu dois prendre à droite.

Subordonnées de manière

- Siempre hablan **gritando**.
  Ils parlent toujours en criant.

Subordonnées de condition

- **Pasando** un año en España mejorarías mucho el idioma.
  Si tu passais un an en Espagne, tu ferais beaucoup de progrès dans la langue.

Subordonnées de cause

- **Viendo** que no llegabas, he empezado a comer.
  Voyant que tu n'arrivais pas, j'ai commencé à manger.

FORMES DU PARTICIPE

Formes régulières

1er groupe	cant-	-ado
2e/3e groupes	beb-/viv-	-ido

Formes irrégulières : un petit groupe de verbes et leurs dérivés ont un participe passé irrégulier.

hacer → hecho	escribir → escrito
satisfacer → satisfecho	abrir → abierto
decir → dicho	cubrir → cubierto
poner → puesto	morir → muerto
ver → visto	volver → vuelto
romper → roto	

Quelques verbes ont **deux** formes de participe : une régulière et une irrégulière. La forme régulière s'emploie généralement comme participe passé et l'irrégulière comme adjectif.

> despertar (réveiller) → despertado/despierto
> sujetar (tenir) → sujetado/sujeto
> soltar (lâcher) → soltado/suelto
> insertar (insérer) → insertado/inserto
> suspender (recaler) → suspendido/suspenso
> freír (frire) → freído/frito
> imprimir (imprimer) → imprimido/impreso
> bendecir (bénir) → bendecido/bendito
> maldecir (maudire) → maldecido/maldito

- El perro **está suelto**, ¿quién lo **ha soltado**?
  Le chien est en liberté. Qui l'a détaché?

EMPLOIS DU PARTICIPE

Le participe entre dans de multiples constructions, comme les temps composés (voir p. 50), la périphrase résultative (voir p. 66), la phrase passive (voir p. 86). Il peut aussi être le verbe d'une subordonnée.

Subordonnée de temps (participe absolu) : (*una vez +*) **participe passé** ; il exprime dans ce cas une action précédant immédiatement celle de la principale.

- Una vez hervida la pasta, se añade la salsa de albahaca.
  Une fois les pâtes cuites, on y ajoute la sauce au basilic.

Subordonnée de concession : il est dans ce cas précédé de *aun*, *hasta* ou *incluso*, ou suivi de *y todo* (plus familier).

- Incluso rebajado sigue costando un ojo de la cara.
  Même soldé, ça coûte les yeux de la tête.

DÉFINITION

▬ Les périphrases verbales sont composées d'un verbe conjugué fonctionnant comme auxiliaire suivi d'un verbe à l'infinitif, au gérondif ou au participe passé. Parfois une préposition ou une conjonction sert à unir les deux verbes.

▬ Elles expriment diverses valeurs, par exemple la capacité ou l'obligation, le futur proche ou l'habitude.

CAPACITÉ

▬ *Poder* + infinitif (pouvoir)

- **Puedo** ir nadando hasta la boya en menos de treinta minutos.
  Je peux nager jusqu'à la bouée en moins de trente minutes.

▬ *Conseguir* + infinitif (réussir à)

- Por fin **han conseguido** decidirse.
  Ils ont enfin réussi à se décider.

▬ *Lograr* + infinitif (parvenir à)

- Por desgracia, no **lograron** ganar la final de baloncesto.
  Malheureusement, ils ne sont pas parvenus à gagner la finale de basket.

POSSIBILITÉ

▬ *Poder* + infinitif (pouvoir)

- La cosa **puede** acabar mal.
  L'affaire peut mal tourner.

▬ *Puede que* + subjonctif (il se peut que)

- **Puede que** me equivoque.
  Il se peut que je me trompe.

OBLIGATION PERSONNELLE
(JE DOIS, IL FAUT QUE JE...)

Tener que + infinitif

- **Tienes que anunciarle** la noticia cuanto antes.
  Tu dois lui annoncer la nouvelle au plus vite.

Deber + infinitif

- Creo que al menos **deberías intentarlo**.
  Je crois qu'au moins tu devrais essayer.

NOTEZ BIEN

Avec *tener que*, l'obligation est **réelle**. Avec *deber*, le locuteur exprime sous forme de **conseil** ce qu'il considère comme une norme à respecter.

OBLIGATION IMPERSONNELLE
(IL FAUT + INFINITIF)

Hay (hubo / habrá...) que + infinitif : c'est l'expression impersonnelle la plus fréquente ; le verbe peut changer de temps mais il est **toujours** à la 3e personne du singulier.

- **Hay que** saber ser paciente.
  Il faut savoir être patient.

Es necesario (ou **es preciso**) + infinitif

- ¿**Es necesario** *ou* **preciso** llevar gorro de baño en esta piscina?
  Faut-il porter un bonnet de bain dans cette piscine ?

▸ IL FAUT P. 134

SUPPOSITION

Deber (de) + infinitif

- Con tantas casas **deben (de)** ser muy ricos.
  Avec autant de maisons, ils doivent être très riches.

Tener que + infinitif : la supposition est énoncée avec plus de conviction qu'avec *deber (de)*.

- **Tienes que** estar muerto de cansancio después de toda la noche sin dormir.
  Tu dois être mort de fatigue après toute une nuit sans dormir.

FUTUR PROCHE

- **Ir a** + infinitif (« aller » + infinitif)
  - **Voy a** contarte lo que pasó.
    Je vais te raconter ce qui s'est passé.
  - **Íbamos a** llamaros, pero no encontramos vuestro número.
    Nous allions vous appeler, mais nous n'avons pas trouvé votre numéro.

- **Estar a punto de** ou **estar para** + infinitif (être sur le point de)
  - El partido **estaba a punto de** acabar.
    Le match était sur le point de finir.

- **Estar por** + infinitif (prévoir de faire)
  - Este barrio es demasiado ruidoso, **estamos por** mudarnos.
    Ce quartier est trop bruyant, nous prévoyons de déménager.

DURÉE

- **Estar** + gérondif (« être en train de » ou temps simple) ; cette périphrase présente l'action dans son déroulement.
  - Ana no se puede poner ahora, **está atendiendo** a un cliente.
    Ana ne peut pas répondre maintenant, elle est en train de s'occuper d'un client.

- **Llevar** + gérondif + durée, **hace** + durée + **que** (cela fait… que)
  - El pobre **lleva esperándote** una hora.
    Hace una hora **que** el pobre te está esperando.
    Le pauvre, cela fait une heure qu'il t'attend.

  Au passé, on utilise **llevaba** ou **hacía** (cela faisait… que).

  - **Llevaba buscándote** dos horas, cuando di contigo.
    Cela faisait deux heures que je te cherchais quand je suis tombé sur toi.

- *Andar* + gérondif, *venir* + gérondif (action qui dure en se répétant)

  - **Vengo diciéndole** desde hace tiempo que no se fíe de él.

    Je lui dis depuis longtemps de se méfier de lui.
    [Je le lui ai dit à plusieurs reprises.]

- *Ir* + gérondif (peu à peu)

  - Ella ya **va dándose** cuenta de la situación.

    Elle se rend compte peu à peu de la situation.

- *Seguir* + gérondif, *continuar* + gérondif (continuer à)

  - **Sigue** *ou* **Continúa coleccionando** música soul de los años 70.

    Il continue à collectionner de la musique soul des années soixante-dix.

FIN DE L'ÉVÉNEMENT

- *Acabar de* + infinitif (venir de)

  - **Acaba de** encender la chimenea.
    Il vient d'allumer le feu dans la cheminée.

- *Dejar de* + infinitif (cesser de)

  - ¡Por favor, **deja de** cantar tan alto!
    S'il te plaît, arrête de chanter si fort!

- *Acabar por* + infinitif, *acabar* + gérondif (finir par)

  - **Acabará por** confesarlo *ou* **acabará confesándolo**.
    Il finira par l'avouer.

RÉSULTAT

- *Tener* + participe passé accordé avec le COD (« avoir déjà » + participe).

  - Tengo redactadas ya 50 páginas.
    J'ai déjà 50 pages rédigées.

▬ ***Llevar*** + participe passé accordé avec le COD (« avoir déjà »
+ participe) : présente l'événement comme le résultat
d'une suite d'actions en cours.

- **Llevo visitados** unos 20 pisos.
  J'ai déjà visité une vingtaine d'appartements.

RÉPÉTITION

Volver a + infinitif (faire de nouveau)

- **Ha vuelto a** pedirme que le preste el coche.
  Elle m'a de nouveau demandé de lui prêter la voiture.

HABITUDE

▬ ***Soler, acostumbrar (a)*** + infinitif (avoir l'habitude de)

- **Suelen** venir todos los años por Navidad.
  Ils ont l'habitude de venir tous les ans à Noël.

- No **acostumbro (a)** ir sola al cine.
  Je n'ai pas l'habitude d'aller seule au cinéma.

▬ ***Acostumbrarse a*** + infinitif (s'habituer à)

- **Se ha acostumbrado a** circular por la ciudad
  en bicicleta.
  Elle s'est habituée à circuler dans la ville à vélo.

26 Indicatif ou subjonctif ?

PRINCIPE GÉNÉRAL

L'**indicatif** sert à **déclarer** des faits, tandis que le **subjonctif**, mode de la subordination, s'emploie pour **présenter** des faits **dépendants** d'un désir, d'un ordre, d'une condition, d'une appréciation... Comparez :

INDICATIF	SUBJONCTIF
Me quedo una semana más. Je reste une semaine de plus.	Quiero que **te quedes**. Je veux que tu restes.
Ganará el juicio. Il gagnera son procès.	¡Ojalá **ganes** el juicio! Pourvu que tu gagnes ton procès !
Aquí no **se fuma**. On ne fume pas ici.	Le prohíbo que **fume** aquí dentro. Je vous interdis de fumer à l'intérieur.
Querían participar. Ils voulaient participer.	Si **quisieran**, podrían participar. S'ils voulaient, ils pourraient participer.

INDÉPENDANTES EXPRIMANT LE DOUTE

Quizá(s) et *tal vez* (peut-être) peuvent être suivis d'un verbe à l'indicatif (doute atténué) ou au subjonctif (doute renforcé).

- Quizá no **se atreve** a decírtelo.
  Peut-être qu'elle n'ose pas te le dire.
- Tal vez no **haya oído** tu mensaje.
  Il se peut qu'il n'ait pas entendu ton message.

> ▸ ADVERBES P. 74
> ▸ PEUT-ÊTRE P. 141

SUBORDONNÉES COMPLÉTIVES

Le mode utilisé en espagnol coïncide en général avec le mode utilisé en français.

➥ **Indicatif si la principale est une proposition déclarative affirmative**

- Creo que tu GPS **se equivoca**.
  Je crois que ton GPS se trompe.

Subjonctif

Si la principale met en doute ou nie le fait exprimé
par la complétive

- Dudo que te **llame**.
  Je doute qu'elle t'appelle.

- No creo que **venga**.
  Je ne crois pas qu'il vienne.

Si la principale exprime un ordre, un souhait, une crainte

- Te ruego que nos **dejes** solos.
  Je te prie de nous laisser seuls.

- Espero que te **diviertas**.
  J'espère que tu t'amuseras bien.

- Tememos que **sigan** subiendo las hipotecas.
  Nous craignons que le taux de crédit continue d'augmenter.

Si la principale exprime une appréciation

- Me alegro de que **estés** totalmente recuperado.
  Je suis content que tu sois tout à fait remis.

  ▸ Subordonnées complétives p. 92

SUBORDONNÉES RELATIVES

Les relatives déterminatives présentant un antécédent
dont on connaît l'existence se construisent à l'indicatif.

- Busco a una ingeniera que **habla** ruso.
  Je cherche une ingénieure qui parle le russe.

Les relatives déterminatives présentant un antécédent dont
l'existence n'est pas certaine se construisent au subjonctif
présent.

- Busco una ingeniera que **hable** ruso.
  Je cherche une ingénieure parlant russe.

  ▸ Relatifs p. 40

SUBORDONNÉES DE CONDITION

➡ Si la condition est **réalisable,** elles se construisent à l'indicatif, dans les **autres cas** au subjonctif.

- Si **vas** tú, yo también iré. [réalisable]
  Si tu y vas, moi aussi j'irai.

- Si **fueras** tú, yo también iría. [improbable]
  Si tu y allais, j'irais moi aussi.

- Si **hubieras ido** tú, yo también habría ido. [irréalisable]
  Si tu y étais allé, j'y serais allée moi aussi.

➡ Les comparatives hypothétiques introduites par *como si* se construisent au subjonctif imparfait ou plus-que-parfait (indicatif imparfait ou plus-que-parfait en français).

- El vestido te queda como si **fuera** a medida.
  Cette robe te va comme si elle était faite sur mesure.
  ▸ SUBORDONNÉES DE CONDITION P. 100-101

SUBORDONNÉES DE TEMPS

Les temporelles qui font référence à l'avenir se construisent au subjonctif en espagnol.

- Llámame cuando **salgas** de la reunión.
  Appelle-moi quand tu sortiras de la réunion.
  ▸ SUBORDONNÉES DE TEMPS P. 97

SUBORDONNÉES DE CONCESSION

Quand la circonstance qu'elles énoncent est **réelle** et présentée comme une **information nouvelle,** elles se construisent à l'indicatif. Dans les **autres cas**, elles sont au subjonctif.

- Aunque ayer **me acosté** tardísimo, no estoy cansada.
  Bien qu'hier je me sois couchée très tard, je ne suis pas fatiguée.

- Aunque **seas** mi hijo, te trataré como a los demás candidatos. [information déjà connue]
  Bien que tu sois mon fils, je te traiterai comme tous les autres candidats.

- Aunque **llueva** mañana, saldré a correr. [circonstance hypothétique]
  Même s'il pleut demain, je sortirai courir.
  ▸ SUBORDONNÉES DE CONCESSION P. 102

OPPOSITION SER / ESTAR

Ser et *estar* correspondent à « être » en français. *Ser* **définit
l'essence** du sujet, exprime des caractéristiques inhérentes
à celui-ci, *estar* **exprime l'état** dans lequel se trouve le sujet.
Généralement l'essence est durable et l'état passager,
mais pas toujours. Comparez :

- A veces **es** muy orgulloso. [caractéristique accidentelle]
  Parfois il est très prétentieux.
- Siempre **está** enferma. [état constant]
  Elle est toujours malade.

EMPLOIS LES PLUS FRÉQUENTS

Pour définir **l'identité**.

SER	ESTAR
Hola, soy Pablo, ¿y tú **eres**…? Salut, je m'appelle Pablo, et toi… ?	–

Pour définir **l'origine**.

SER	ESTAR
Mario **es** madrileño. Mario est madrilène.	–

Pour indiquer **la possession** ou **la destination** d'un objet.

SER	ESTAR
¿Esta mochila **es** tuya? Ce sac à dos est à toi ? Estas flores **son** para ti. Ces fleurs sont pour toi.	–

Pour désigner **une activité professionnelle** : avec *ser*,
on désigne un métier ; avec *estar*, une activité provisoire
(estar de).

SER	ESTAR
Sofía **es** periodista. Sofía est journaliste.	Es psicólogo, pero **está de** taxista. Il est psychologue, mais il travaille comme chauffeur de taxi.

■ Pour désigner une **matière**.

SER	ESTAR
La ropa de moto suele **ser** de cuero. Les combinaisons de moto sont normalement en cuir.	—

■ Pour **localiser** dans l'espace et le temps : avec *ser*, on désigne une localisation spatio-temporelle d'événements ; avec *estar*, une localisation spatiale de personnes et d'objets.

SER	ESTAR
La boda **es** a las doce en el juzgado, pero la fiesta **será** por la noche en una casa de campo. Le mariage est à midi devant le juge, mais la fête aura lieu le soir dans une maison de campagne.	**Estoy** en mi oficina que **está** en la otra punta de la ciudad. Je suis dans mon bureau qui est à l'autre bout de la ville.

■ Pour indiquer **l'heure** et **la date** : avec *ser*, on désigne une heure ou une date ; avec *estar*, une date *(estamos a / en)*.

SER	ESTAR
—¿Qué día **es** hoy? —Hoy **es** sábado, 9 de diciembre. Quel jour on est? – On est le samedi 9 décembre.	—¿**A** qué **estamos** hoy? —Hoy **estamos a** 9. Quel jour on est? – On est le 9.

■ Pour **décrire** des êtres, des objets : avec *ser*, on définit le sujet, on en présente une **qualité** inhérente qui le fait entrer dans une catégorie ; avec *estar*, on désigne l'état du sujet comme **résultat** d'une transformation.

SER	ESTAR
Es alto, castaño, guapo… Il est grand, châtain, beau…	**Está** enfermo, solo, contento… Il est malade, seul, content…
Es alegre, listo, eficaz… Il est joyeux, intelligent, efficace…	**Está** triste, radiante, decepcionado… Il est triste, rayonnant, déçu…

Logiquement, les adjectifs qualificatifs qui expriment uniquement des **qualités** essentielles sont **toujours** attributs de ***ser***. Ceux qui désignent uniquement un **résultat** (dont tous les participes) sont **toujours** attributs de ***estar***.

SER	ESTAR
Todo **es posible**. Tout est possible.	El lavavajillas **está lleno**. Le lave-vaisselle est plein.
Nuestros planes no **son** todavía muy **concretos**. Nos plans ne sont pas encore très concrets.	La cadena de música **está estropeada**. La chaîne hi-fi est en panne.

NOTEZ BIEN

Certains adjectifs peuvent être attributs aussi bien de *ser* que de *estar*. La différence correspond au principe énoncé. Comparez :

Roberto **es** guapo y además soltero.
Roberto est beau et en plus il est célibataire.

Iván **está** muy guapo desde que **está** soltero.
Iván est très beau depuis qu'il est célibataire.

CAS PARTICULIERS

Un même adjectif peut prendre deux sens différents selon qu'il est employé avec *ser* ou *estar*. Comparez :

SER	ESTAR
ser vivo : être vif	estar vivo : être vivant
ser listo : être intelligent	estar listo : être prêt
ser orgulloso : être orgueilleux	estar orgulloso : être fier
ser bueno [personne] : être gentil, compétent	estar bueno [personne] : être en bonne santé, être attirant
ser bueno [aliment] : être de bonne qualité	estar bueno [aliment] : avoir bon goût, être en bon état
ser malo [personne] : être méchant	estar malo [personne] : être malade
ser malo [aliment] : être de mauvaise qualité	estar malo [aliment] : avoir mauvais goût, être en mauvais état

AUTRES EMPLOIS GRAMMATICAUX

Ser s'emploie pour former la voix passive (voir p. 86) et des structures emphatiques (voir p. 113-114).
Estar s'emploie avec le gérondif (voir p. 65) et le participe (voir p. 86).

(28) Les adverbes

> Les adverbes accompagnent des verbes, des adjectifs ou d'autres adverbes et peuvent exprimer des sens très divers.

ADVERBES DE MANIÈRE

Les adverbes de manière se forment le plus souvent à partir du féminin d'un adjectif auquel on ajoute **-mente**. Quand plusieurs adverbes sont coordonnés ou juxtaposés, seul le dernier présente la forme complète.

- Dímelo **rápida**, **clara** y **directamente**.

  Dis-le-moi rapidement, clairement et directement.

Autres adverbes de manière			
así	mal	mejor	regular
comme ça	mal	mieux	comme ci comme ça
bien	igual	peor	
bien	de même	plus mal	

ADVERBES DE TEMPS

Nunca et *jamás* équivalent tous deux à « jamais ».
Nunca est plus fréquent. Quand ils précèdent le verbe, la négation ne s'emploie pas. Comparez :

- Los gatos **no** me han gustado **nunca** *ou* **Nunca** me han gustado los gatos.

  Je n'ai jamais aimé les chats.

  ▸ PHRASE NÉGATIVE P. 83

Autres adverbes et locutions adverbiales de temps		
ya	de repente, de pronto	mañana, pasado mañana
déjà	soudain	demain, après-demain
todavía, aún	a menudo	esta noche
encore	souvent	ce soir
ahora	hoy	anoche
maintenant	aujourd'hui	hier soir
luego, después	ayer	al día siguiente
ensuite, après	hier	le lendemain
enseguida	anteayer	el día antes, el día anterior
tout de suite	avant-hier	la veille

ADVERBES DE LIEU

Aquí sert à situer un être ou un objet dans la sphère de plus grande proximité au locuteur.

- En esta plaza, **aquí** precisamente, había una fuente preciosa.
  Sur cette place, ici précisément, il y avait une très jolie fontaine.

Ahí et *allí* servent à situer un être ou un objet hors de cette sphère de proximité du locuteur, *ahí* se situant généralement à une distance moyenne de lui et *allí* à une distance supérieure.

- El queso rayado lo he dejado **ahí** porque por ahora no lo necesitamos.
  Le fromage râpé, je l'ai laissé là : pour l'instant on n'en a pas besoin.

- Nos vemos a las 7 en la entrada del cine y **allí** ya decidimos qué película vemos.
  On se retrouve à 7 heures à l'entrée du cinéma, et là on décide quel film on voit.

ADVERBES DE QUANTITÉ

nada en rien	mucho beaucoup	más plus
poco peu	demasiado trop	muy très
bastante assez	menos moins	tan *ou* tanto autant

Poco, *bastante*, *mucho*, *demasiado*, *todo* et *tanto* peuvent aussi être pronoms ou adjectifs indéfinis, auquel cas ils s'accordent avec le nom qu'ils accompagnent ou qu'ils remplacent.

▸ INDÉFINIS (2) P. 31
▸ PLUS / MOINS, LE PLUS / LE MOINS P. 142
▸ PEINE (À PEINE) P. 140

ADVERBES D'AFFIRMATION ET DE NÉGATION

Sí sert à répondre affirmativement, **que la question soit affirmative ou négative.**

- —¿Un poco de azúcar? —**Sí**, gracias.
  Un peu de sucre ? – Oui, merci.

- —¿No te ha caído bien? —**Sí**, pero habla sin parar.
  Tu ne l'as pas trouvé sympathique ? – Si, mais il parle sans arrêt.

Autres adverbes d'affirmation				
bueno	claro	seguro	también	vale
bon	bien sûr	c'est sûr	aussi	d'accord

No sert à répondre négativement. Il peut être renforcé par *nada*, *para nada* (parlé) ou *en absoluto* (soutenu).

- **No** me interesa **(para) nada** lo que ella piense.
  Ce qu'elle pense ne m'intéresse en rien.

- —¿Le molesto? —**No, en absoluto**.
  Je vous dérange ? – Non, pas du tout.

PLACE DE L'ADVERBE DANS LA PHRASE

Les adverbes ont une certaine liberté dans la phrase, mais en général ils ne peuvent pas séparer l'auxiliaire et le participe passé d'une forme verbale composée.

- **Ya** he comido.

  He comido **ya**.
  J'ai déjà mangé.

La présence d'un adverbe en tête de phrase entraîne souvent le déplacement du sujet après le verbe.

- **Así** pronuncian los americanos.
  Les Américains prononcent comme ça.

a	de	hacia	por
à	de	vers	par
ante	desde	hasta	según
devant	de, depuis	jusqu'à	selon
bajo	durante	mediante	sin
sous	pendant	moyennant,	sans
con	en	grâce à	sobre
avec	en, dans, sur	para	sur
contra	entre	pour	tras
contre	entre, parmi		derrière

PRINCIPAUX EMPLOIS DE *A*

Avec un COD

A s'emploie devant un nom COD de personne.

- Veo **a** Juan a diario.
  Je vois Juan tous les jours.

A s'emploie aussi devant un nom COD d'animal individualisé et déterminé.

- Adoran **a** su perro.
  Ils adorent leur chien.

A n'est pas obligatoire quand le nom COD désigne un référent humain indéterminé. Comparez :

- Buscan camareros.
  Ils cherchent des serveurs.

- Busca **al** camarero.
  Il cherche le serveur.

Pour exprimer le mouvement

Avec des verbes ou des noms exprimant un mouvement vers un lieu

- No te acerques **al** perro, que muerde.
  Ne t'approche pas du chien, il mord.

- Este año ha hecho tres viajes **a** América.
  Cette année, il est allé trois fois en Amérique.

Avec des verbes de mouvement *(ir, venir...)* suivis d'un infinitif

- Ha ido **a** buscarla a la estación.
  Il est allé la chercher à la gare.

Pour exprimer la localisation

Dans l'espace (dans certaines expressions)

- Los baños están **al** fondo **a** la derecha.
  Les toilettes sont au fond à droite.

- ¿Nos sentamos **al** sol o **a** la sombra?
  On s'assoit au soleil ou à l'ombre?

Dans le temps (dans certaines expressions)

- Paso a buscarte **a** las once.
  Je passe te chercher à onze heures.

- Estamos **a** 10 de octubre.
  Nous sommes le 10 octobre.

Avec des noms exprimant des sentiments

el respeto **al** medio ambiente [aussi *de*]
le respect de l'environnement

el amor **al** arte
l'amour de l'art

el miedo **a** los bichos [aussi *de*]
la peur des bêtes

PRINCIPAUX EMPLOIS DE *EN*

Pour exprimer la localisation spatiale

Dans l'espace

- Están **en** Barcelona.
  Ils sont à Barcelone.

- Tu chándal está **en** el armario.
  Ton survêtement est dans l'armoire.

Sur une surface

- Tu móvil está **en** la mesa. [aussi *encima de*]
  Ton portable est sur la table.

Pour exprimer la localisation temporelle

Moment de l'action

- Nos mudamos aquí **en** 2007.
  Nous avons déménagé ici en 2007.

Durée de l'action

- Esta sopa se hace **en** un cuarto de hora.
  Cette soupe se fait en un quart d'heure.

Délai de l'action

- Habré acabado **en** 10 días. [aussi *dentro de*]
  J'aurai fini en 10 jours.

Avec des noms de moyens de transport

- Normalmente prefiero venir **en** bicicleta
  que **en** metro, pero hoy llovía.
  Normalement je préfère venir à vélo plutôt qu'en métro,
  mais aujourd'hui il pleuvait.

Exceptions : *a caballo* (à cheval), *a pie* (à pied).

EMPLOIS SPÉCIFIQUES DE *CON*

Avec un complément de manière

- La fotografiaron **con** los ojos llenos de lágrimas
  y **con** una copa en la mano.
  Elle a été prise en photo les yeux pleins de larmes et un verre
  à la main.

Avec un infinitif (subordonnée de manière)

- **Con enfadarte** no ganas nada.
  Tu ne gagnes rien à te fâcher.

Avec *solo* + infinitif (subordonnée de condition)

- Te renuevan el carné **con solo pedirlo**.
  Pour qu'on te renouvelle ta carte, il suffit de le demander.

Avec *lo* + adjectif / adverbe + *que* + indicatif (subordonnée
de concession)

- **Con lo lista que es**, y no encuentra novio.
  Bien qu'elle soit intelligente, elle ne trouve pas de copain.

30 Les prépositions (2)

PRINCIPAUX EMPLOIS DE *DE*

Pour exprimer la possession

- ¿Estos 50 euros son **de** alguien?
  Ces 50 euros sont-ils à quelqu'un?

Pour exprimer l'origine (spatiale et temporelle)

- Has recibido un paquete **de** California.
  Tu as reçu un paquet de Californie.

- **De** París a Madrid hay mil doscientos y pico km.
  [aussi *desde... a* ou *hasta*]
  De Paris à Madrid, il y a mille deux cent et quelques kilomètres.

- Ana trabaja en el hospital **de** 7 de la mañana
  a 4 de la tarde.
  Ana travaille à l'hôpital de 7 heures du matin à 4 heures
  de l'après-midi.

Pour exprimer le temps

- **De** niño, **de** joven y **de** adulto, *Astérix* siempre
  le ha encantado.
  Enfant, adolescent ou adulte, il a toujours adoré *Astérix*.

Pour exprimer la matière

- No soporto las camisetas **de** poliéster.
  Je ne supporte pas les T-shirts en polyester.

Pour caractériser

- El señor **de** gafas es el padre de la niña
  del pelo rubio.
  Le monsieur aux lunettes est le père de la fille aux cheveux
  blonds.

ON N'EMPLOIE PAS *DE*

Pour introduire la proposition complément des verbes *decir*, *pedir*, *rogar*, *desear*.

- Te digo que te des prisa.
  Je te dis de te dépêcher.

- Me pidió que fuera a recoger a los niños al colegio.
  Il m'a demandé d'aller chercher les enfants à l'école.

➡ **Pour introduire l'infinitif complément** de certains verbes : *intentar* (essayer), *decidir* (décider), *proponer* (proposer), *prometer* (promettre), *proyectar hacer algo* (projeter de faire qqch.).

- Os propongo encontrarnos aquí mismo dentro de dos horas.
  Je vous propose de nous retrouver ici même dans deux heures.

➡ **Pour introduire le complément de quantité** de certains verbes.

- He engordado/adelgazado dos kilos este verano.
  J'ai grossi/maigri de deux kilos cet été.

PRINCIPAUX EMPLOIS DE *POR*

➡ **Pour exprimer la cause**

- Eso te pasa **por** ser demasiado ingenuo.
  Ça t'arrive parce que tu es trop naïf.

➡ **Pour exprimer le mouvement**

À l'intérieur d'un espace

- Corren **por** el campo.
  Ils courent dans la campagne.

À travers un lieu

- Pasamos **por** Jerez para ir a Cádiz.
  Nous passons par Jerez pour aller à Cadix.

➡ **Pour exprimer une localisation imprécise**

- Vive **por** Atocha.
  Il vit du côté d'Atocha.

➡ **Pour exprimer le temps**

Parties de la journée

- **Por** la noche trabajo mejor que **por** la mañana.
  La nuit je travaille mieux que le matin.

Périodicité

- Voy al gimnasio dos veces **por** semana.
  Je vais au club de gym deux fois par semaine.

Localisation imprécise

- La última vez que nos vimos fue **por** mayo o junio.
  La dernière fois que nous nous sommes vues, c'était vers mai
  ou juin.

Avec un **complément d'agent** dans les phrases passives

- Este teatro fue construido **por** los griegos.
  Ce théâtre a été construit par les Grecs.

PRINCIPAUX EMPLOIS DE *PARA*

Avec un **complément de but**

- Utiliza el ordenador solo **para** conectarse a internet.
  Elle utilise l'ordinateur seulement pour se connecter à Internet.

Pour désigner le **destinataire d'un objet**

- Tiene un regalo **para** nosotros.
  Il a un cadeau pour nous.

Pour indiquer une **destination**

- ¿Ha salido ya el vuelo **para** Madrid?
  Le vol pour Madrid est-il déjà parti?

Pour indiquer une **limite temporelle** (date butoir)

- **Para** el lunes tiene que estar listo.
  Il faut que ce soit prêt pour lundi.

> Les phrases simples (composées d'un seul verbe) présentent quelques spécificités en espagnol.

LA PHRASE DÉCLARATIVE AFFIRMATIVE

Les phrases déclaratives affirmatives peuvent se renforcer à l'aide de *sí (que)*.

- —No me entiendes… —**Sí (que)** te entiendo.
  Tu ne me comprends pas. – Mais si, je te comprends.

Le sujet se place généralement **avant** le verbe.
Mais avec certains verbes comme *llegar* (arriver), *venir* (venir), *empezar* (commencer), *acercarse* (s'approcher), le sujet se place généralement **après** le verbe :

– si la phrase est composée seulement du sujet et du verbe ;

- Mira, llega **el tren**.
  Regarde, le train arrive.

– si le verbe est précédé d'un complément adverbial.

- ¡Ya llega **el tren**!
  Le train arrive déjà !

Avec *gustar* (aimer), *encantar* (enchanter), *interesar* (intéresser), *molestar* (déranger), *doler* (faire mal), *preocupar* (préoccuper)…, le sujet se place le plus souvent **après** le verbe.

- Me duele **la cabeza** y me molesta mucho **el humo**.
  J'ai mal à la tête et la fumée me dérange énormément.

LA PHRASE DÉCLARATIVE NÉGATIVE

Les déclaratives négatives peuvent se renforcer à l'aide de *en absoluto, (para) nada* ou *nada en absoluto*.

- Esa película no me interesa **nada en absoluto**.
  Ce film ne m'intéresse pas du tout.

S'il y a dans la phrase avant le verbe un autre mot négatif (*nadie, nunca, nada, tampoco...*), *no* **ne s'emploie pas.** Comparez :

- **No** contesta **nadie.**

  Nadie contesta.
  Personne ne répond.

- **No** me haces caso **nunca.**

  Nunca me haces caso.
  Tu ne m'écoutes jamais.

NOTEZ BIEN

La structure « ne... que » équivaut à *no... más que, no... sino* ou se traduit par *solo* ou *solamente.*

Este niño **no** come **más que** pasta.

Este niño **no** come **sino** pasta.

Este niño come **solo** pasta.

Cet enfant ne mange que des pâtes.

LA PHRASE INTERROGATIVE

L'interrogation peut porter sur la totalité de l'énoncé (interrogatives **totales**). Dans ce cas, la réponse est affirmative (*sí* : oui, *bueno* : bon, *vale* : d'accord...), négative (*no* : non, *ni hablar* : hors de question...) ou dubitative (*quizás, a lo mejor* : peut-être...).

L'interrogation peut porter uniquement sur une partie de l'énoncé (interrogatives **partielles**). Dans ce cas, la phrase se construit avec des mots interrogatifs (voir p. 43).

L'interrogation peut être **directe** ou **indirecte** (voir p. 43 et p. 94).

Dans les phrases interrogatives totales avec sujet exprimé, celui-ci peut se placer avant ou après le verbe.

- ¿**Pedro** come hoy con nosotros?
  ¿Come **Pedro** hoy con nosotros?
  Pedro mange avec nous aujourd'hui?

Dans la plupart des interrogatives partielles avec sujet exprimé, celui-ci peut apparaître soit en tête de phrase, soit après le verbe. Comparez :

- ¿**Ella** qué quiere? *ou* ¿Qué quiere **ella**?
  Qu'est-ce qu'elle veut?

- ¿**Tú** dónde vives? *ou* ¿Dónde vives **tú**?
  Où habites-tu?

Mais :

- ¿Por qué **nosotros** no podemos ir?
  Pourquoi ne pouvons-nous pas y aller, nous?

LA PHRASE EXCLAMATIVE

L'exclamation peut se faire avec des mots comme *qué* (invariable), *quién(es)*, *cuánto(s)/cuánta(s)*, mais aussi avec *cómo* (manière ou quantité) ou avec *dónde* (lieu).

▸ **EXCLAMATIFS P. 45**

- ¡**Qué** mala suerte, **cómo** llueve!
  Pas de chance, comme il pleut !

Dans les exclamatives indirectes, on emploie très souvent la structure *lo... que* à la place de *qué* ou *cuánto*.

- Mira **qué** guapa es *ou* Mira **lo** guapa **que** es.
  Regarde comme elle est belle.

L'expression exclamative d'un souhait se fait avec l'interjection ¡*ojalá!* suivie du subjonctif présent (souhait réalisable) ou imparfait (réalisation invraisemblable) ou plus-que-parfait (réalisation impossible).

- ¡**Ojalá** queden entradas todavía!
  Pourvu qu'il reste encore des places !

- ¡**Ojalá** viviéramos más cerca!
  Si seulement on habitait plus près !

- ¡**Ojalá** te hubiera conocido antes!
  Si seulement je t'avais rencontré plus tôt !

LA PHRASE PASSIVE

La phrase passive se forme avec *ser* + le participe passé
du verbe, accordé en genre et en nombre avec le sujet.
Le complément d'agent, s'il est exprimé, est généralement
précédé de *por*, plus rarement de *de*.

- La nueva terminal del aeropuerto **será inaugurada
  por** el alcalde.
  Le nouveau terminal de l'aéroport sera inauguré par le maire.

- La noticia ya **es conocida de** todos.
  La nouvelle est déjà connue de tout le monde.

On peut former des phrases passives avec *estar* + participe
passé. Elles expriment le résultat de l'action. Comparez :

- La costa **fue contaminada** por la marea negra.
  [On exprime le déroulement de l'action.]
  La côte a été contaminée par la marée noire.

- La costa **estuvo contaminada** por la marea negra.
  [On exprime le résultat de l'action.]
  La côte s'est retrouvée contaminée par la marée noire.

LES SUBSTITUTS DE LA VOIX PASSIVE

La construction passive s'emploie moins en espagnol
qu'en français. On lui préfère d'autres constructions.

Si l'agent de l'action est connu, construction active :

- El gobierno **ha anunciado** nuevas medidas
  de desarrollo sostenible.
  De nouvelles mesures de développement durable ont été
  annoncées par le gouvernement.

Si l'agent de l'action est inconnu :

Construction passive avec *se* + verbe actif à la 3e personne
Dans ce cas, le verbe s'accorde avec le sujet.

- Aquellas fotos **se publicaron** inmediatamente.
  Ces photos ont été publiées immédiatement.

Le sujet suit très souvent le verbe.

- ¿Ya **se han vendido** todas las entradas?
  Toutes les entrées ont déjà été vendues ?

- **Se esperan** muchos visitantes.
  De nombreux visiteurs sont attendus.

Construction impersonnelle avec *se* + verbe à la 3e personne du singulier (sans sujet)

- **Se espera** a los protagonistas de la película en el estreno.
  Les protagonistes du film sont attendus pour la première.

NOTEZ BIEN
Quand il s'agit d'une chose ou d'une personne indéterminée, on préfère la construction passive avec *se*.
Quand il s'agit d'une personne déterminée, la construction impersonnelle avec *se* est préférée.

LA PHRASE IMPERSONNELLE

Les phrases impersonnelles n'ont pas de sujet, soit parce qu'elles correspondent réellement à des actions sans agent identifiable, soit parce qu'on ne veut pas le préciser.

Structures avec verbe à la 3e personne du singulier sans accord à un sujet :

Expressions météorologiques

- Ahora **llueve**, pero hace un rato **nevaba**.
  Maintenant il pleut, mais il y a un moment il neigeait.

Expressions temporelles avec *ser* ou *hacer*

- **Es** muy pronto, ¿no ves que todavía no **es** de día?
  Il est très tôt, tu ne vois pas qu'il ne fait pas encore jour ?

- **Hace** tres años que no nos vemos.
  Cela fait trois ans qu'on ne se voit pas.

Expressions existentielles avec *haber*

- **Había** dos puertas al final del pasillo.
  Il y avait deux portes au bout du couloir.

• IL Y A P. 135

Expressions d'obligation avec *hay que* + infinitif

- Mañana **hay que** ir a votar.
  Demain il faut aller voter.

▸ Il faut p. 134

Autres structures :

Se + verbe à la 3ᵉ personne du singulier (valeur générale)

- **Se vive** mejor en una ciudad mediana.
  On vit mieux dans une ville moyenne.

- A lo lejos **se oye** a los manifestantes gritando.
  Au loin on entend crier les manifestants.

Verbe à la 3ᵉ personne du pluriel (le locuteur est exclu)

- ¿Te **esperan** en la estación?
  On t'attend à la gare ?

- **Dicen** que nos van a subir el sueldo.
  On dit que nous allons être augmentés.

Uno / Una (action générale dans laquelle le locuteur s'implique personnellement)

- A mi edad, **una** ya no es tan ingenua.
  À mon âge, on n'est plus si naïve.

NOTEZ BIEN
Uno / Una est obligatoire avec les verbes pronominaux.
Uno se acostumbra muy pronto a lo bueno. [*acostumbrarse*]
On s'habitue vite aux bonnes choses.

Verbe à la 2ᵉ personne du singulier (le locuteur s'inclut) ou *la gente* + verbe à la 3ᵉ personne du singulier (le locuteur s'exclut)

- Estas cosas ocurren cuando menos **te** lo **esperas**.
  Ces choses-là arrivent quand on s'y attend le moins.

- **La gente** lee menos poesía que novelas.
  On lit *ou* Les gens lisent moins de poésie que de romans.

▸ On p. 138

> Des propositions du même niveau peuvent être soit simplement juxtaposées, soit reliées par des conjonctions de coordination qui explicitent le rapport de sens existant entre elles.

COORDINATION AVEC *Y* ET *NI*

La conjonction *y* exprime des relations diverses : simple addition, succession temporelle, relation de cause à effet, relation d'opposition...

- Costaba muy caro **y** no lo compró.
  Ça coûtait très cher et il ne l'a pas acheté.

- Dice que me vio anoche **y** eso es imposible.
  Il dit qu'il m'a vu hier soir mais c'est impossible.

La conjonction *y* **devient *e*** devant tout mot commençant par le son [i].

- No te desanimes **e** insiste.
  Ne te décourage pas et insiste.

NOTEZ BIEN
Cette règle vaut aussi pour la simple coordination de noms ou d'adjectifs.

Estudia geografía **e** historia.
Il fait des études d'histoire-géographie.

La conjonction de coordination négative est *ni*. Elle peu t intervenir après la négation de la première proposition (*no... ni...*) ou précéder chaque proposition (*ni... ni...*).

- **No** quiero enfadarte **ni** molestarte.
  Je ne veux ni te fâcher ni te mettre mal à l'aise.

- **Ni** lo sé **ni** me importa.
  Je ne le sais pas et ça ne m'intéresse pas.

COORDINATION AVEC *O / U*

La conjonction *o* introduit une alternative, une condition...

- ¿Vienes **o** te quedas?
  Tu viens ou tu restes?

- **O** te das prisa **o** no te esperamos.
  Dépêche-toi, sinon, on ne t'attend pas.

La conjonction *o* **devient** *u* devant tout mot commençant par le son [o].

- ¿Alguien podría ayudarme **u** orientarme?
  Quelqu'un pourrait m'aider ou m'orienter?

L'alternative s'exprime de façon plus insistante avec *(o) bien... (o) bien...* ou *ya sea... ya sea...*

- **O bien** se lo dices tú **o bien** tendré que anunciárselo yo misma.
  Soit tu le lui dis, soit je devrai le lui annoncer moi-même.

- Puedes ganar algo de dinero **ya sea** dando clases particulares, **ya sea** haciendo de canguro.
  Tu peux gagner un peu d'argent, soit en donnant des cours particuliers, soit en travaillant comme baby-sitter.

COORDINATION AVEC *PERO* ET *SINO QUE*

Pero introduit une deuxième proposition qui contredit l'idée impliquée par la première (qui peut être affirmative ou négative).

- Está enfermo, **pero** ha venido a trabajar.
  Il est malade, mais il est venu au travail.

- No se encuentra bien, **pero** ha venido a trabajar.
  Il ne se sent pas bien, mais il est venu au travail.

Sino que introduit une proposition qui rectifie la proposition précédente, obligatoirement négative.

- No te he pedido que me lo regales, **sino que** me lo prestes.
  Je ne t'ai pas demandé de me l'offrir, mais de me le prêter.

NOTEZ BIEN

Pour coordonner deux termes, on emploie *pero* ou *sino* suivant le même principe.

No se llama Sagrario, **sino** Rosario.
Elle ne s'appelle pas Sagrario, mais Rosario.   ▸ MAIS P. 136

Sin embargo et *no obstante* peuvent apparaître seuls ou précédés d'une conjonction.

- Él es más joven **y sin embargo** tiene más experiencia.
  Il est plus jeune et pourtant il a plus d'expérience.

COORDINATION AVEC *LUEGO, CONQUE...*

Avec *luego, conque, así que, de modo que, de forma que, de manera que...*, la deuxième proposition exprime une conséquence par rapport à la première.

- No ha venido, **luego** no estará tan interesado.
  Il n'est pas venu, donc il ne doit pas être si intéressé.

- Hoy hay manifestación, **conque** mejor ir en metro.
  Aujourd'hui il y a une manifestation, il vaut mieux y aller en métro.

- No fuiste a votar, **de modo que** ahora no te quejes.
  Tu n'es pas allé voter, donc ne te plains pas maintenant.

Por (lo) tanto, así, así pues et *por consiguiente* ont la même valeur de conséquence. Leur place dans la deuxième propositon est variable.

- Ha sido un irresponsable, se merece **por tanto** que no lo hayan reelegido.
  Il a été très irresponsable, par conséquent il mérite de ne pas avoir été réélu.

Pues doit se placer **après** le verbe de la deuxième proposition.

- El libro está agotado; intente, **pues**, comprarlo de segunda mano.
  Ce livre est épuisé ; essayez donc de l'acheter d'occasion.

NOTEZ BIEN

Por (lo) tanto (par conséquent) n'est pas équivalent de «pourtant», qui se dit *sin embargo*.

③④ Les subordonnées complétives

FONCTIONS DES COMPLÉTIVES

➤ Les subordonnées complétives exercent les **fonctions d'un nom** ou d'un pronom (sujet ou complément) dans la proposition principale. Leur verbe peut être à une **forme personnelle** ou à l'**infinitif**.

- Me sorprende <u>que cueste tan barato</u>.
  [sujet]
  Ça m'étonne que ça soit si peu cher.

- Quiere <u>venir con nosotros</u>.
  [COD]
  Elle veut venir avec nous.

- Acuérdate <u>de que hoy tenemos reunión de vecinos</u>.
  [complément prépositionnel]
  Rappelle-toi qu'aujourd'hui nous avons réunion de copropriété.

- Estoy encantado <u>de que vengáis</u>.
  [complément de l'adjectif]
  Je suis ravi que vous veniez.

➤ L'article *el* peut précéder certaines complétives sujet ou COD dépendant de verbes exprimant un sentiment ou une appréciation subjective. *El que* équivaut dans ce cas à « le fait de / que ».

- Me sorprende **el** que cueste tan barato.
  Ça m'étonne que ça soit si peu cher.

- Odio **el** levantarme tan temprano.
  Je déteste me lever si tôt.

CONSTRUCTIONS ET MODE DES COMPLÉTIVES

➤ Les complétives introduites par *que* sont **à l'indicatif** si elles déclarent un fait dépendant d'une principale déclarative affirmative. Elles sont au **subjonctif** si la principale exprime un ordre, un doute, un désir ou une appréciation.

Le principe général est le même qu'en français. Comparez :

INDICATIF	SUBJONCTIF
Dice que no viene.	Dile que venga.
Il dit qu'il ne vient pas.	Dis-lui de venir.
Creíamos que te gustaba.	Dudábamos que te gustara.
Nous croyions que ça te plaisait.	Nous doutions que ça te plaise.
Veo que eres sincero.	Quiero que seas sincero.
Je vois que tu es sincère.	Je veux que tu sois sincère.
Pienso que se ha enfadado.	Es una pena que se haya enfadado.
Je pense qu'il s'est fâché.	C'est dommage qu'il se soit fâché.

▸ INDICATIF OU SUBJONCTIF P. 68
▸ CONCORDANCE DES TEMPS P. 56

NOTEZ BIEN

Les verbes exprimant un ordre, une prière ou un conseil, comme *decir* (dire = ordonner), *pedir* (demander), *mandar* (ordonner), *ordenar* (ordonner), *prohibir* (interdire), *rogar* (prier), *aconsejar* (conseiller) se construisent avec une proposition introduite par *que* + verbe au **subjonctif** en respectant la concordance des temps (voir p. 56).

Nos rogó **que aplazáramos** la reunión a la semana siguiente.
Il nous a prié de reporter la réunion d'une semaine.

➡ Avec un **verbe d'opinion à la forme négative** dans la principale, le mode de la complétive varie, comme en français. Comparez :

● Creo **que puedo** ayudarte.
[principale affirmative au présent → complétive à l'indicatif présent]
Je crois que je peux t'aider.

Mais :

● No creo **que pueda** ayudarte.
[principale négative au présent → complétive au subjonctif présent]
Je ne crois pas que je puisse t'aider.

● No creía **que vivías** ou **vivieras** tan lejos.
[principale négative au passé → complétive à l'indicatif ou au subjonctif]
Je ne pensais pas que tu vivais si loin.

● No creas **que es** tan joven.
[principale négative à l'impératif → complétive à l'indicatif]
Ne crois pas qu'il est si jeune.

● Les complétives **interrogatives indirectes** sont introduites par la conjonction *si* ou par un mot interrogatif. Le mode reste le même qu'en français.

- No sé **si** le gusta.
  Je ne sais pas si ça lui plaît.

- Me preguntó **quién** había llamado.
  Il m'a demandé qui avait appelé.

● Les complétives **COD à l'infinitif** ne sont **jamais** précédées d'une préposition.

- Los médicos recomiendan practicar algún deporte a cualquier edad.
  Les médecins conseillent de faire du sport à tout âge.

- Te prohíbo quejarte.
  Je t'interdis de te plaindre.

> **NOTEZ BIEN**
> Les complétives dépendant du verbe *esperar* se construisent au subjonctif en respectant la concordance des temps (voir p. 56).
>
> Espero **que** me reconozca.
> J'espère qu'elle me reconnaîtra.
>
> Esperaba **que** me reconociera.
> J'espérais qu'elle me reconnaîtrait.

> Les subordonnées circonstancielles fonctionnent comme
> un complément qui informe sur le lieu, la manière, le temps,
> la cause, le but, la condition de réalisation ou les obstacles
> à la réalisation de l'action exprimée par la principale.

SUBORDONNÉES DE LIEU

➤ Elles sont introduites par *donde* (où) accompagné ou non
d'une préposition.

- Deja ese libro **donde** estaba, por favor.
  Laisse ce livre là où il était, s'il te plaît.

- Iremos **adonde** *ou* **a donde** a ti te apetezca.
  On ira où tu voudras.

➤ On emploie l'**indicatif** dans la subordonnée pour des actions
réelles et le **subjonctif** pour des actions potentielles.

- Planta el hibiscus donde ella te **dice**.
  Plante l'hibiscus où elle te dit.

- Planta el hibiscus donde ella te **diga**.
  Plante l'hibiscus où elle te dira.

➤ *Donde* peut être **relatif** et référer à un antécédent
dans des subordonnées relatives de lieu.

- Esta es la isla **donde** siempre veraneábamos.
  [*isla* antécédent]
  Voici l'île où nous allions toujours en vacances.

SUBORDONNÉES DE MANIÈRE

➤ Elles sont introduites par *como* ou par *tal (y) como*, *tal cual*,
según et *conforme*.

- Las cosas no son **como** él cree.
  Les choses ne sont pas comme il croit.

- Hazlo **tal y como** a ti te parezca mejor.
  Fais-le comme bon te semble.

- Debe procederse **conforme** indica el reglamento.
  On doit procéder comme l'indique le règlement.

On emploie l'**indicatif** dans la subordonnée pour des actions réelles et le **subjonctif** pour des actions potentielles. Comparez :

- Lo he hecho como me **has indicado**.
  Je l'ai fait comme tu me l'as indiqué.

- Lo haré como me **indiques**.
  Je le ferai comme tu me l'indiqueras.

Como peut être **relatif** et référer à un antécédent dans des subordonnées relatives de manière.

- No me ha gustado el modo **como** te ha hablado.
  [*modo* antécédent]
  Je n'ai pas aimé la façon dont il t'a parlé.

> ► EMPLOIS DU GÉRONDIF P. 61
> ► PRÉPOSITION *CON* P. 79

SUBORDONNÉES DE TEMPS : SIMULTANÉITÉ

Expriment la simultanéité les subordonnées introduites par *cuando* (quand), *mientras* (pendant que) et *mientras que* (tandis que).

- Nos vemos **cuando** estoy en Madrid.
  On se voit quand je suis à Madrid.

- Él está viendo la televisión **mientras** yo hablo por teléfono.
  Il regarde la télévision pendant que moi je parle au téléphone.

- Aquí se malgasta el agua potable **mientras que** en muchos lugares ni siquiera existe.
  Ici on gaspille l'eau potable tandis que dans de nombreux endroits elle n'existe même pas.

Conforme, *según* et *a medida que* (à mesure que) expriment une progression simultanée des actions de la principale et de la subordonnée.

- El precio de la vivienda baja **conforme** suben las tasas de interés.
  Le prix de l'immobilier baisse à mesure que les taux d'intérêt augmentent.

On emploie l'**indicatif** dans la subordonnée pour des actions réalisées ou en cours de réalisation et le **subjonctif** pour des actions potentielles. Comparez :

- Lo pasábamos muy bien cuando **viajábamos** juntos.
  On s'amusait bien quand on voyageait ensemble.
- Lo pasaremos muy bien cuando **viajemos** juntos.
  On s'amusera bien quand on voyagera ensemble.

NOTEZ BIEN
« Quand » + futur équivaut à *cuando* + subjonctif présent.

SUBORDONNÉES DE TEMPS : ANTÉRIORITÉ

L'antériorité de l'action de la principale par rapport à celle de la subordonnée s'exprime avec *cuando, hasta que, antes (de) que* (ou *antes de* + infinitif si le sujet coïncide avec celui de la principale).

- **Cuando** sea verano, ya habrán acabado de construir la nueva piscina.
  Quand ce sera l'été, on aura fini de construire la nouvelle piscine.
- Estamos viviendo aquí **hasta que** nos entreguen el piso.
  On habite ici jusqu'à ce qu'on nous livre notre appartement.
- Ponte corriendo a la cola **antes de que** haya más gente.
  Va vite faire la queue avant qu'il y ait plus de monde.
- Apagad bien todas las luces **antes de** salir.
  Éteignez bien toutes les lumières avant de partir.

On emploie toujours le **subjonctif** ou l'**infinitif** dans ce type de subordonnées temporelles.

SUBORDONNÉES DE TEMPS : POSTÉRIORITÉ

La postériorité immédiate de l'action de la principale par rapport à celle de la subordonnée s'exprime avec *cuando*, *en cuanto*, *apenas... (cuando)* et *tan pronto como*.

- Se ha puesto contentísimo **cuando** le he dado la noticia.
  Il a été ravi quand je lui ai annoncé la nouvelle.

- **En cuanto** le mando un mail contesta inmediatamente.
  Dès que je lui envoie un mail, elle me répond immédiatement.

- **Tan pronto como** lleguemos, tendremos que irnos.
  Aussitôt arrivés, nous serons obligés de repartir.

    ▸ PEINE (À PEINE) P. 141

La postériorité non immédiate s'exprime avec *después (de) que* (ou *después de* + infinitif + sujet).

- Se conocieron **después de que** él se hubiera divorciado *ou* **después de** haberse divorciado él.
  Ils se sont connus après qu'il eut divorcé.

> **NOTEZ BIEN**
> – On emploie l'indicatif dans la subordonnée pour des actions réalisées ou en cours de réalisation et le subjonctif pour des actions potentielles.
> – Dans les subordonnées avec *después de que*, on retrouve aussi bien l'indicatif que le subjonctif pour des actions réalisées.
> Él llegó después de que yo me **fuera** *ou* me **fui**.
> Il est arrivé après que je suis partie.

SUBORDONNÉES DE CAUSE

Elles sont introduites le plus souvent par *porque*, *como*, *ya que*, *puesto que*, *dado que*, *en vista de que*.

- Me he acordado **porque** lo tenía anotado en la agenda.
  J'y ai pensé parce que je l'avais noté dans mon agenda.

- **Como** no habla vasco, no ha entendido nada.
  Comme il ne parle pas le basque, il n'a rien compris.
- **Ya que** sales, compra tú el pan.
  Puisque tu sors, achète le pain.

➤ **Por** + infinitif est aussi fréquent.

- Esto te pasa **por** no hacer copias de seguridad.
  Ça t'arrive parce que tu ne fais pas de copies de sauvegarde.

➤ Le mode des propositions causales est l'**indicatif** ou l'**infinitif**.
Les causales négatives peuvent aussi se construire au
subjonctif.

- La han nombrado a ella no porque **sea** una mujer,
  sino porque **es** excelente.
  Elle a été nommée non parce qu'elle est une femme, mais parce
  qu'elle est excellente.

▸ EMPLOIS DU GÉRONDIF P. 61

SUBORDONNÉES DE BUT

Elles sont introduites par *para que, a fin de que, con objeto
de que* + subjonctif. Si le sujet de la principale et celui
de la subordonnée coïncident, on emploie *para, a fin de,
con objeto de* + infinitif.

- Me ha dejado su mp3 **para que** le grabe música.
  Il m'a laissé son mp3 pour que je lui enregistre de la musique.
- Puso una denuncia **a fin de que** le indemnizaran.
  [soutenu]
  Il a porté plainte afin qu'on l'indemnise.
- Trabajo aquí **para** ganar más dinero.
  Je travaille ici pour gagner plus d'argent.

SUBORDONNÉES DE CONSÉQUENCE

Elles sont introduites par *que* ou *como para (que)* qui réfère à un antécédent exprimé dans la principale et ont diverses valeurs.

- **Intensité** : *tanto, tan, tal... + que* + indicatif ou subjonctif
  - Está **tan** cansada **que** ya se ha acostado.
    Elle est tellement fatiguée qu'elle s'est déjà couchée.
  - Tiene **tal** despiste **que** se le ha vuelto a olvidar traerme el jersey.
    Il est tellement étourdi qu'il a encore oublié de me rapporter mon pull.

- **Manière** : *de modo, de manera, de forma + que* + indicatif ou subjonctif
  - Exprésate **de forma que** todos te entiendan.
    Exprime-toi de telle sorte que tout le monde te comprenne.
  - No nos ha llamado, **de manera que** no sabemos qué tal le va.
    Il ne nous a pas appelés, si bien qu'on ignore comment il va.

- **Comparaison** : indéfinis *tan(to), (lo) bastante, (lo) suficiente, demasiado... + como para que* + subjonctif ou *como para* + infinitif si le sujet est le même que dans la principale
  - ¿Estás **tan** cansado **como para** no poder conducir?
    Tu es fatigué au point de ne pas pouvoir conduire?
  - Ya es **(lo) bastante** famosa **como para que** la reconozcan por la calle.
    Elle est assez célèbre pour qu'on la reconnaisse dans la rue.

SUBORDONNÉES DE CONDITION

- **Condition réalisable ou réelle** : *si* + indicatif présent (principale à l'indicatif présent / futur ou à l'impératif)
  - Si me **invitan**, **voy** / **iré**.
    Si on m'invite, j'y vais / j'irai.

- Si tanto te **gusta**, **lléva**telo.
  Si ça te plaît tellement, prends-le.

Condition improbable : *si* + subjonctif imparfait (principale au conditionnel simple ou à l'indicatif imparfait ou à l'impératif)

- Si me **invitaran**, **iría** *ou* **iba**.
  [Avec l'imparfait, à l'oral, on insiste sur la certitude de la conséquence.]
  Si on m'invitait, j'irais.

- Si te **invitaran**, **ve**.
  Si on t'invite, vas-y.

Condition irréalisée dans le passé : *si* + subjonctif plus-que-parfait (principale au conditionnel passé ou au subjonctif plus-que-parfait ; principale au conditionnel simple si elle se réfère au présent ou au futur)

- Si me **hubieran invitado**, **habría ido** *ou* **hubiera ido**.
  Si on m'avait invitée, j'y serais allée.

- Si me **hubiesen invitado**, ahora **estaría** allí.
  Si on m'avait invitée, j'y serais en ce moment.
  ▸ **SUBJONCTIFS IMPARFAITS P. 55**

NOTEZ BIEN
« Si » + indicatif imparfait et plus-que-parfait en français correspond à *si* + subjonctif imparfait et plus-que-parfait en espagnol.

AUTRES TOURNURES CONDITIONNELLES

Les conjonctions *como* et *cuando* et les locutions *en caso de (que)*, *a condición de que*, *por si* introduisent d'autres constructions conditionnelles.

- **Como** te muevas no te puedo peinar bien.
  Si tu bouges, je ne peux pas te coiffer correctement.

- **En caso de que** os quedéis, dormiréis arriba.
  Dans le cas où vous resteriez, vous dormirez en haut.

- No apago el ordenador **por si** lo necesitas.
  Je n'éteins pas l'ordinateur au cas où tu en aurais besoin.

De + **infinitif simple** s'emploie si la condition est improbable.

- Yo **de apuntar**me a algo, sería a kárate.
  Moi, si je devais m'inscrire à un cours, ce serait au karaté.

➤ *De* + **infinitif passé** s'emploie si la condition est irréalisée.

- **De haber pintado** él este cuadro, la perspectiva habría estado más lograda.

  Si c'était lui qui avait peint ce tableau, la perspective aurait été plus réussie.

  ▸ Emplois du gérondif p. 61
  ▸ Préposition *con* p. 79

SUBORDONNÉES DE CONCESSION

➤ Elles expriment une circonstance qui n'empêche pas la réalisation de la principale mais qui normalement aurait dû l'empêcher. Elles sont introduites par *aunque*, *a pesar de (que)*, *aun (cuando)*, *por mucho/más que*…

  ▸ Avoir beau p. 112

- Hoy, **aunque** sea domingo, las tiendas están abiertas.

  Aujourd'hui, bien que ce soit dimanche, les magasins sont ouverts.

- Vino a trabajar, **a pesar de que** estuviera enferma.

  Elle est venue travailler alors qu'elle était malade.

➤ Le verbe de la subordonnée est **à l'indicatif** avec une circonstance réelle, introduite comme information nouvelle. Il est **au subjonctif** avec une circonstance réelle déjà connue par les interlocuteurs ou avec une circonstance hypothétique.

- **Aunque vivimos** cerca del mar, casi nunca vamos a la playa. [circonstance réelle dont on informe notre interlocuteur]

  Bien que nous habitions près de la mer, nous n'allons presque jamais à la plage.

- **Aunque vivamos** cerca del mar, casi nunca vamos a la playa. [circonstance réelle mais déjà connue de l'interlocuteur]

  Même si nous habitons près de la mer, nous n'allons presque jamais à la plage.

- **Aunque llegue** cansado del viaje, seguro que querrá pasar a saludaros. [circonstance hypothétique]

  Même s'il arrive fatigué du voyage, je suis sûr qu'il voudra passer vous dire bonjour.

  ▸ Indicatif ou subjonctif p. 70

Du français à l'espagnol :

trouver le mot juste

Abréviations utilisées
qqn : quelqu'un
qqch. : quelque chose
pers. : personne
sing. : singulier
plur. : pluriel
indic. : indicatif
subj. : subjonctif
inf. : infinitif

à + lieu où l'on va → *a*

- Elle allait à la bibliothèque.
  Iba **a** la biblioteca.

- Il fera un voyage à Bordeaux en septembre.
  Hará un viaje **a** Burdeos en septiembre.

à + lieu où l'on est → *en*

- Ils sont au Chili, à Valparaíso.
  Están **en** Chile, **en** Valparaíso.

à + heure → *a la(s)* + cardinal

- Il arrive à une heure ou à deux heures⸮
  ¿Llega **a la una** o **a las dos**⸮

à + nom de fête → *en*

- À Noël, ils viennent chez nous et à Pâques, nous allons chez eux.
  En Navidad ellos vienen a casa y **en Semana Santa** vamos nosotros a la suya.

à + siècle → *en el siglo*

- Christophe Colomb découvrit l'Amérique au xvᵉ siècle.
  Cristóbal Colón descubrió América **en** el siglo xv.

À DIFFÉRENT DE *A*

à (localisation dans l'espace) → *en*

- Elle est actuellement à New-York, mais elle ne veut pas vivre toute sa vie aux États-Unis.
  Está ahora **en** Nueva York, pero no quiere vivir toda su vida **en** Estados Unidos.

à (possession) → *de*, possessif

- Cet imperméable est à Juan, mais ce parapluie ne peut pas être à lui.
  Esta gabardina es **de** Juan, pero este paraguas no puede ser **de** él o **suyo**.

à (caractéristique) → *de*, *con*

- Tu vois le garçon au pull vert?
  ¿Ves al chico **del** jersey verde ou **con** el jersey verde?

- S'il vous plaît, je pourrais avoir un café au lait
  et un morceau de tarte aux pommes?
  Por favor, ¿me pone un café **con** leche y un trozo
  de tarta **de** manzana?

COD de personne → *a* + COD de personne

- Ils ont choisi cette fille avant de connaître les autres
  candidats.
  Eligieron **a** aquella chica antes de conocer
  a los demás candidatos.

verbe de mouvement + inf. → verbe de mouvement + *a* + inf.

- Je vais l'appeler pour lui dire que je ne peux pas passer
  le chercher.
  Voy **a** llamarlo para decirle que no puedo pasar
  a buscarlo.

verbe de mouvement + préposition → verbe de mouvement + *a*

- Juste quand tu arrives en France, je repars au Mexique.
  Justo cuando tú llegas **a** Francia, yo me vuelvo
  a México.

AIMER

« plaire » → *gustar*

- Tu aimes les chansons ou la chanteuse?
  ¿**Te gustan** las canciones o **te gusta** la cantante?

- J'aimerais voyager en train.
  Me gustaría viajar en tren.

– *Gustar* se construit comme «plaire», mais le sujet se place généralement derrière le verbe.

Ce film me plaît.
Me gusta esta película.
Ces films me plaisent.
Me gustan estas películas.

– Ne confondez pas *me gusto* (je m'aime) et *me gusta(n)* (j'aime).

«éprouver de l'amour» → *querer, amar*

- Il **aime** beaucoup ses enfants.
  Quiere mucho a sus hijos.

ALLER

aller (mouvement) → *ir a*

- Il **va** souvent **en** Argentine, plus précisément à Córdoba.
  Va a menudo **a** Argentina, concretamente a Córdoba.

- Je **vais chez** ma mère.
  Voy a casa de mi madre.

– «Aller en» + nom de lieu se dit toujours *ir a*.
– Retenez les expressions idiomatiques avec *ir de*.

aller en vacances : ir de vacaciones
faire une excursion : ir de excursión

aller + inf. (futur proche) → *ir a* + inf.

- Attends, je **vais** t'aider.
  Espera, te **voy a** ayudar.

▸ PÉRIPHRASES VERBALES (2) P. 65

Comment (ça) va ? → *¿Qué tal?*, *¿Cómo te va?*

- Comment **vas**-tu ?
  ¿Qué tal? ou **¿Qué tal** estás?
  ¿Qué tal te va? ou **¿Cómo te va?**

➠ **Allez !** → *¡Venga!, ¡Vamos!, ¡Anda!*

- **Allez**, depêche-toi !
  ¡**Venga** ou **Vamos**, date prisa !

- **Allez**, reste un peu plus longtemps !
  ¡**Anda**, quédate un poco más !

- On prend une bière ensemble ? – **Allez** !
  —¿Nos tomamos una cerveza juntos? —¡**Venga**!

APPRENDRE

➠ « acquérir un savoir » → *aprender*

- J'ai suivi un stage pour **apprendre** à utiliser ce nouveau logiciel.
  He seguido un cursillo para **aprender** a utilizar este nuevo programa.

➠ « transmettre un savoir » → *enseñar*

- Un jour tu devrais m'**apprendre** à danser le tango !
  ¡Un día tendrías que **enseñar**me a bailar el tango !

➠ « prendre connaissance de » → *saber (que), enterarse de (que)*

- Vous **apprendrez** la nouvelle avant nous.
  Sabréis la noticia antes que nosotros.

- J'**ai appris** qu'il quitte l'entreprise.
  Me **he enterado** de que se va de la empresa.

NOTEZ BIEN

Enterarse de algo veut aussi dire « comprendre quelque chose ».

Attends, je n'ai pas compris, tu peux me le répéter ?
Espera, no **me he enterado**, ¿puedes repetírmelo?

➠ « transmettre une information » → *decir (que), informar (de que)*

- Ta mère m'**a appris** que tu étais malade.
  Tu madre me **ha dicho** que estabas enfermo.

- Il nous **a appris** que nous aurions une heure de retard.
  Nos **ha informado** de que tendríamos una hora de retraso.

APRÈS

après → *después, luego, más tarde*

- Que s'est-il passé après⸮
  ¿Qué pasó **después**⸮
- On se voit après⸮
  ¿Nos vemos **luego**⸮

après + nom / pronom → *después de* + nom / pronom

- Nous dînerons après le cinéma / après lui.
  Cenaremos **después del** cine / **después de** él.

nom + après → nom + *después, más tarde*

- Ils se sont connus des années après.
  Se conocieron años **después**.

après + inf. → *después de* + inf.

- Tu pourras juger le roman après l'avoir lu entièrement.
  Podrás juzgar la novela **después de** haberla leído
  entera.

après que → *después de que*

- Il arrive toujours après que nous sommes partis.
  Siempre llega **después de que** nos hayamos ido.

> ▸ Subordonnées de temps p. 98

NOTEZ BIEN
Antes (avant) s'utilise avec les mêmes structures que
después, sauf pour la structure *antes que* + nom / pronom
(avant + nom / pronom).

Nous sommes arrivés avant Pedro / avant lui.
Llegamos **antes que** Pedro / **antes que** él.

AUSSI (QUE)

« également » → *también*

- Tu es fatiguée et moi aussi.
  Estás cansada y yo **también**.

◗ « **tellement** » → *tan*

- Je n'avais jamais vu une araignée **aussi** grosse.
  Nunca había visto una araña **tan** gorda.

◗ **aussi... que** → *tan... como*

- Sa fille est **aussi** grande **que** toi.
  Su hija es **tan** alta **como** tú.

- Ce n'est pas **aussi** loin **que** je le pensais.
  No está **tan** lejos **como** yo pensaba.

> **NOTEZ BIEN**
> – L'apocope de *tanto* en *tan* est systématique devant
> les adjectifs et les adverbes.
> – Ne confondez pas « aussi... que » = *tan(to)... como...*
> (comparaison, voir p. 39) avec « si... que » = *tan(to)... que*
> (conséquence, voir p. 100).

AUTANT (DE / QUE)

◗ **autant (que)** → *tanto (como)*

- Ce n'est pas bon de manger **autant**.
  No es bueno comer **tanto**.

- Ils ne sortent pas **autant que** nous.
  No salen **tanto como** nosotros.

◗ **autant de + nom (que)** → *tanto(s) / tanta(s) + nom (como)*

- Quelle folie d'avoir construit **autant** d'immeubles !
  ¡Qué locura haber construido **tantos** edificios!

- Tu as **autant de** possibilités **que** lui.
  Tienes **tantas** posibilidades **como** él.

  ▸ COMPARAISON P. 39

◗ **autant... autant** → *tanto... como, así como, igual que*

- **Autant** elle aime les pâtes, **autant** elle déteste
  les légumes.
  Le gusta **tanto** la pasta **como** odia la verdura.
  Así como ou **Igual que** le gusta la pasta, odia
  la verdura.

AUTANT (D'AUTANT PLUS / MOINS QUE)

- **(superlatif +)** *sobre todo porque*
  - Je suis **d'autant plus** content de te voir **que** j'ai un tas de choses à te raconter.
    Estoy **contentísimo** de verte, **sobre todo porque** tengo un montón de cosas que contarte.

- *tanto más / menos... cuanto que* (soutenu)
  - Il faut **d'autant plus** économiser l'eau **que** nous sommes dans une région désertique.
    Hay que ahorrar agua, **tanto más cuanto que** estamos en una región desértica.

AUTRE(S)

- **(un) autre / (d')autres** → *otro(s) / otra(s)*
  - Ils veulent **un autre** enfant.
    Quieren **otro** hijo.
  - Ils en veulent **un autre**.
    Quieren **otro**.
  - Vois-tu **d'autres** possibilités ?
    ¿Ves **otras** posibilidades?

  NOTEZ BIEN
  Otro n'est **jamais** précédé de l'article indéfini. Il peut être précédé d'un article défini, d'un possessif ou d'un démonstratif.
  L'autre maison / **Son autre** maison / **Cette autre** maison était plus grande.
  La otra casa / **Su otra** casa / **Aquella otra** casa era más grande.

- **quantifieur + autre** → *otro + quantifieur, quantifieur + más*
  - Vous devez engager **trois autres** employés.
    Tiene que contratar a **otros tres** empleados ou a **tres** empleados **más**.

▰ **l'autre / les autres (par opposition à un premier élément)** →
el otro / los otros / otros

- Achète ces bottes si tu veux, mais moi, sincèrement,
je préfère **les autres**.
Cómprate esas botas si quieres, pero yo, sincera-
mente, prefiero **las otras**.

▸ INDÉFINIS (1) P. 30

NOTEZ BIEN

– *Los / Las demás* signifie « les autres » dans le sens
de « le reste ».

J'emporte juste cette revue, tu peux garder **les autres**.
Me llevo solo esta revista, te puedes quedar tú **las demás**.

– *Lo demás* signifie « le reste ».

Je veux savoir s'il est bien arrivé ; **le reste** m'est égal.
Quiero saber si ha llegado bien y **lo demás** no me importa.

▰ **l'un... l'autre / les uns... les autres** → *(el) uno... (el) otro /*
(los) unos... (los) otros

- **L'un** m'a dit une chose et **l'autre** son contraire.
Uno me dijo una cosa y **otro** lo contrario.
(El) uno me dijo una cosa y **el otro** lo contrario.

▰ **des autres, d'autrui** → *ajeno(s) / ajena(s)*

- Il faut respecter les opinions **des autres**.
Hay que respetar las opiniones **ajenas**.

AVOIR

▰ **avoir + participe passé** → *haber + participe passé*

- Tu **as reçu** un paquet.
Has recibido un paquete.

NOTEZ BIEN

Les temps composés en espagnol se construisent **toujours**
avec *haber* et le participe passé ne s'accorde pas.

Il n'a pas encore **lu** la lettre que je lui ai écrite.
Todavía no **ha leído** la carta que le **he escrito**.

María **est arrivée** en retard.
María **ha llegado** tarde.

« posséder » → *tener*

- Ils **ont** deux voitures.
  Tienen dos coches.

> **NOTEZ BIEN**
> *Tener* apparaît parfois avec un participe passé accordé
> (voir p. 66).
> **Nous avons résolu** presque tous les problèmes techniques.
> **Tenemos resueltos** casi todos los problemas técnicos.

AVOIR BEAU

por más ou *mucho que* + indic. ou subj.

- J'ai **beau** frotter, la tache ne part pas.
  Por más que ou **Por mucho que** froto, la mancha
  no se va.

- Tu **auras beau** insister, ça ne servira à rien.
  Por mucho que insistas, no servirá de nada.

por (muy) + adjectif / adverbe + *que* + subj.

- Un voyage en train **a beau** être cher, il reste abordable.
  Un viaje en tren, **por (muy) caro que sea**,
  es asequible.

- Ça **a beau** être loin, nous y retournons tous les ans.
  Por (muy) lejos que esté, volvemos cada año.

por mucho(s) / mucha(s) ou *por más* + nom + *que* + indic.
ou subj.

- Tu **auras beau** gagner beaucoup d'argent, tu ne pourras
  jamais te payer ce yacht.
  Por más dinero que ganes, nunca podrás pagarte
  ese yate.

- J'ai **beau** en avoir très envie, il vaut mieux que je n'y
  aille pas.
  Por muchas ganas que tenga, es mejor que no vaya.

NOTEZ BIEN

Si le sens de ces propositions est négatif, on remplace *mucho(s)* / *mucha(s)* par *poco(s)* / *poca(s)* et *más* par *poco*.

Il **a beau** dépenser peu, il est toujours à découvert à la fin du mois.
Por poco que gaste, siempre está en números rojos a final de mes.

J'**ai beau** avoir peu de connaissances en physique, ça, quand même, je le sais.
Por poca física **que** sepa, eso sí que lo sé.

▸ INDICATIF OU SUBJONCTIF P. 70
▸ SUBORDONNÉES DE CONCESSION P. 102

C'EST MOI / TOI...

- Tu peux ouvrir, **c'est nous**.
  Puedes abrir, **somos nosotros**.

- Sur cette photo je ne te reconnais pas. **C'est vraiment toi**?
  En esta foto no te reconozco. ¿**Eres tú** de verdad?

NOTEZ BIEN

Le verbe *ser* se conjugue à toutes les personnes *(soy yo / eres tú / es él / somos nosotros / sois vosotros / son ellos)* et aux différents temps.

Vous ne l'avez pas reconnue? C'était elle !
¿No la habéis reconocido? ¡**Era** ella!

C'EST... QUI

▸ *ser* + nom / pronom + *quien* (personnes)

- C'est toi **qui** l'as trouvé.
  Eres tú **quien** lo ha(s) encontrado.

- Ce sont eux **qui** nous ont invités la dernière fois.
  Fueron ellos **quienes** nos invitaron la última vez.
  [Concordance de *ser* au passé.]

▸ *ser* + nom / pronom + *el que* / *la que* (personnes et choses) / *lo que* (choses)

- C'est moi **qui** la connais mieux que personne.
  Soy yo **la que** la conozco **ou** la conoce mejor que nadie.

- C'est ton portable **qui** sonne ?
  ¿**Es** tu móvil **el que** suena ?

- C'est la curiosité **qui** m'a toujours guidée.
  La curiosidad **es lo que** siempre me ha guiado.

C'EST... QUE

antécédent COD ou COI (personnes) → es (era / será)...
a quien ou al que

- C'est toi **qu'**il regarde, Ana.
  Es a ti **a quien** ou **a la que** está mirando, Ana.

- C'est nous **qu'**ils attendaient.
  Era a nosotros **a quienes** ou **a los que** estaban
  esperando. [Concordance de *ser* au passé.]

- C'est à María **qu'**il faut donner l'argent ?
  ¿A María **es a quien** ou **a la que** hay que dar
  el dinero ?

antécédent COD ou COI (choses) → es (era / será)... el que
(COD) / al que (COI)

- C'est le steak le moins cuit **que** je préfère.
  Es el filete menos hecho **el que** prefiero.

- C'est à ce livre **qu'**il manquait deux pages ?
  ¿**Era** a este libro **al que** le faltaban dos páginas ?

NOTEZ BIEN

– **Traduction de «c'est»** : *ser* est toujours à la 3e personne du singulier (*es / era / será*) car il n'est pas ici suivi de son sujet, mais d'un complément.

– **Traduction de «que»** : *quien(es)* ou *el que / los que / la(s) que* pour les personnes et *el que / los que / la(s) que / lo que* pour les choses.

– Attention à l'emploi de *a* devant le COD et le COI de personne dans la principale et dans la subordonnée (voir p. 42 et 77).

Es **a** ti **a** quien está mirando.
¿Es a ella **a** quien hay que dar el dinero?

🔹 **antécédent complément circonstanciel → es por eso por lo que / fue entonces cuando / es ahí donde / es así como**

- C'est pour ça **que** je me fâche.
  Es por eso **por lo que** me enfado.
  [cause : « que » = *por lo que*]

- C'est en 2006 **que** nous nous sommes connus.
  Fue en 2006 **cuando** nos conocimos.
  [temps : « que » = *cuando*]

- C'est ici **qu'**on mange tous les midis.
  Aquí **es donde** comemos siempre a medio día.
  [lieu où l'on est : « que » = *donde*]

- C'est **de** Montevideo **qu'**il rentre.
  Es de Montevideo **de donde** vuelve.
  [lieu d'où l'on vient : « que » = *de donde*]

- C'est ainsi **que** j'ai appris la nouvelle.
  Fue así **como** me enteré de la noticia.
  [moyen et manière : « que » = *como*]

CE QUI, CE QUE, CE DONT

🔹 **ce qui / ce que (relatif) → lo que + proposition, lo + participe passé ou adjectif**

- Ce **qui** me fascine, c'est sa créativité.
  Lo que me fascina es su creatividad.

- Dis-moi clairement ce **que** tu veux.
  Dime claramente **lo que** quieres.

- Ce qui est soldé est marqué d'un point rouge.
  Lo que está rebajado ou **Lo rebajado** está señalado con un punto rojo.

- Ce qui surprend, c'est sa patience dans cette affaire.
  Lo que sorprende ou **Lo sorprendente** es su paciencia en este asunto.

➡ ce qui / ce que (exclamatif) → *lo que*, *cuánto* ou *cómo* + proposition

- Oh là là ! Ce qu'il nous reste encore à faire !
  Uf, ¡**lo que** nos queda aún por hacer!

- Ce qu'elle a grandi, cette petite !
  Cuánto ou **Cómo** ha crecido esta niña!

➡ ce dont → (préposition +) *lo que*

- Naturellement, ce dont elle rêve, c'est d'un appartement au dernier étage avec terrasse.
  Naturalmente **con lo que** sueña es con un ático con terraza.

- Ce dont on a besoin, c'est d'un peu plus de temps.
  Lo que necesitamos es un poco más de tiempo.

▸ *Lo* P. 18

CELUI

➡ celui + de → article défini + *de*

- Tu as acheté le journal ? – Non, je lis **celui** d'hier.
  —¿Has comprado el periódico? —No, estoy leyendo **el de** ayer.

- Les deux fenêtres avec de la lumière sont **celles** d'Alfonso.
  Las dos ventanas encendidas son **las de** Alfonso.

➡ celui + autre préposition → démonstratif + préposition, *el... que* + *tener*, *el... de*

- Elle a eu la meilleure chambre, **celle avec** vue sur la mer, et moi la pire, **celle sans** fenêtre.
  A ella le tocó la mejor habitación, **aquella con** vista al mar, y a mí la peor, **la que no tenía** ventana.

- Les billets de train sont déjà chers, mais **ceux pour** le week-end le sont encore plus.
  Los billetes de tren ya son caros, pero **los del fin** de semana lo son aún más.

celui qui ou que → (préposition +) *el que, quien*

- Ana est **celle qui** a le plus convaincu.
  Ana es **quien** ha gustado más.

- Ce cours est ouvert à **(celui) qui** le souhaite.
  Esta clase está abierta **a quien** ou **al que** lo desee.

- **Celle que** je préfère est la plus colorée.
  La que prefiero es la más colorida.

- **Celui que** j'ai reconnu tout de suite, c'est ton frère.
  Al que ou **A quien** he reconocido enseguida es a tu hermano.

celui dont → article ou démonstratif (+ préposition) + pronom relatif

- **Celui dont** on parlait hier ne s'est pas encore vendu.
  El ou **Ese del que** hablábamos ayer todavía no se ha vendido.

- La plus célèbre, c'est **celle dont** le refrain est :
  « Moi, pour être heureux, je veux un camion. »
  La más famosa es **aquella cuyo** estribillo es "Yo para ser feliz quiero un camión". [*la cuyo*]

CHEZ

chez qqn (maison) → *a / en / de / por casa de*

- Nous étions **chez** Eduardo.
  Estábamos **en casa de** Eduardo.

- Ils viennent **de chez** leur mère.
  Vienen **de casa de** su madre.

chez moi / toi... (maison) → *a / en / de / por (mi / tu...) casa*

- Tu viens **chez moi** ou je vais **chez toi**⸮
  ¿Vienes tú **a mi casa** o voy yo **a la tuya**⸮

NOTEZ BIEN

Quand il n'y a pas d'ambiguïté, on omet le possessif.

Je serai **chez moi** toute la soirée.
Estaré **en casa** toda la tarde.

➤ **chez le médecin / le coiffeur...** → *a / en / de / por* + article + nom de métier ou de commerce

- Je vais **chez le médecin** le moins possible, mais quand même une fois par an **chez le dentiste**.
  Voy **al médico** lo menos posible, pero sí una vez al año **al dentista**.

- Elle sortait **de chez le coiffeur**.
  Salía **de la peluquería**.

➤ **chez + territoire (pays / région...)** → *a / en / de / por* + possessif + *país / región*...

- Quel climat fait-il **chez vous** ?
  ¿Qué clima hay **en vuestra región** ou **en vuestro país**?

➤ **« parmi »** → *entre*

- Il a eu un succès fou **chez** les jeunes.
  Ha tenido un éxito enorme **entre** los jóvenes.

➤ **« dans l'œuvre de »** → *en*

- La lune est un symbole fréquent **chez** García Lorca.
  La luna es un símbolo frecuente **en** García Lorca.

➤ **« dans le caractère de »** → *en, de*

- Ce que j'apprécie le plus, **chez** lui, c'est sa sincérité.
  Lo que más aprecio **en él** ou **de él**, es su sinceridad.

COMBIEN

➤ **combien** → *cuánto*

- **Combien** coûtent les huîtres ?
  ¿**Cuánto** cuestan las ostras?

▬▬ **combien de + nom →** *cuánto(s) / cuánta(s)* **+ nom**

- **Combien de** temps met-on pour aller à Séville
  depuis Madrid ?
  ¿**Cuánto** (tiempo) se tarda en ir a Sevilla desde
  Madrid?

- **Combien de** mails reçois-tu par jour ?
  ¿**Cuántos** mails recibes al día?

▸ **INTERROGATIFS P. 44**

▬▬ **tous les combien →** *cada cuánto*

- **Tous les combien** voyage-t-il en Amérique du Sud ?
  ¿**Cada cuánto** viaja a Sudamérica?

▬▬ **« à quel point » →** *cuánto, cómo, lo que*

- Tu n'imagines pas **combien** il me manque.
  No te imaginas **cuánto** lo echo de menos ou **lo que**
  lo echo de menos.

COMME

▬▬ **comparaison →** *como, igual que*

- Tu parles **comme** lui.
  Hablas **como** ou **igual que** él.

▬▬ **cause →** *como*

- **Comme** je suis arrivé en retard, je ne sais pas
  si on a traité ce sujet.
  Como he llegado tarde, no sé si se ha tratado
  ese tema.

▬▬ **temps →** *cuando* **+ verbe conjugué,** *al* **+ inf.**

- **Comme** nous sortions du restaurant, il s'est mis
  à pleuvoir.
  Cuando salimos ou **Al salir** del restaurante se puso
  a llover.

▬▬ **exclamation →** *qué, cuánto, cómo, lo... que*

- **Comme** il fait froid ici et **comme** il pleut !
  ¡**Qué** frío hace aquí y **cuánto** llueve!

- Tu as vu **comme** il est grand, cet enfant, et **comme** il ressemble à sa mère ?
  ¿Has visto **lo** alto **que** está este niño y **cómo** se parece a su madre?

DANS (LIEU)

⟹ **dans + lieu ou situation où l'on se trouve → *en***

- On est **dans** le quartier mexicain, **dans** un restaurant. Tu viens ?
  Estamos **en** el barrio mexicano, **en** un restaurante. ¿Vienes?

- Elle est **dans** une situation très délicate.
  Está **en** una situación muy delicada.

⟹ **verbe de mouvement + dans → *a***

- Il est venu **dans** mon bureau juste au pire moment.
  Ha venido **a** mi despacho justo en el peor momento.

NOTEZ BIEN
Avec certaines expressions de mouvement, on peut employer les prépositions *en* et *a*.

Nous **sommes entrés dans** le musée au bout d'une heure de queue.
Entramos en el ou **al** museo al cabo de una hora de cola.

Nous venons juste de **monter dans** le train.
Acabamos justo de **subir(nos) al** ou **en el** tren.

⟹ **mouvement à l'intérieur d'un espace → *por***

- Je cours **dans** le parc trois fois par semaine.
  Corro **por** el parque tres veces a la semana.

DANS (TEMPS)

⟹ **dans un délai de → *en*, *dentro de***

- Dépêche-toi, ils seront là **dans** cinq minutes.
  Date prisa, estarán aquí **en** ou **dentro de** cinco minutos.

▬▬ **dans + période de temps → *en, durante***

- La *Movida* a commencé à Madrid **dans** les années 80.
  La Movida empezó en Madrid **en** los años 80.

- **Dans** ces années-là, on travaillait souvent ensemble.
  Durante aquellos años, trabajábamos juntos
  a menudo.

DE

▬▬ **de / du / de la / des (article partitif) → Ø**

- Il n'a pas **de** patience avec les enfants.
  No tiene paciencia con los niños.

- Je vais acheter **du** poisson pour le dîner.
  Voy a comprar pescado para la cena.

NOTEZ BIEN
On peut aussi parfois employer un partitif.
On peut boire de l'eau du robinet?
¿Se puede beber **del** agua del grifo?

▬▬ **provenance, origine → *de***

- Paco arrive **de** l'aéroport à l'instant.
  Paco acaba de llegar **de**l aeropuerto.

- Ma femme est **de** Palma de Majorque.
  Mi mujer es **de** Palma de Mallorca.

▬▬ **point de départ temporel → *de, desde***

- Il travaille tous les jours **de** neuf à quatorze heures.
  Trabaja todos los días **de** nueve a dos.

- J'ai pris des vacances **du** 3 au 15 avril.
  He cogido vacaciones **desde** el tres de abril hasta
  el quince.

NOTEZ BIEN
On dit *de... a* mais *desde... **hasta***.

▬▬ **durée → *en todo* + nom**

- Je n'ai rien pu faire **de** la journée.
  No he podido hacer nada **en todo** el día.

moyen ou manière → *con*

- L'agent de police me fait un signe **de** la main.
  El guardia de tráfico me está haciendo una señal **con** la mano.

- Il l'aime **de** tout son cœur.
  La quiere **con** toda su alma.

mesure → Ø

- La voiture avait reculé **de** trois mètres.
  El coche había retrocedido tres metros.

de + inf. sujet → inf.

- Il est important **de** le rappeler.
  Es importante **recordar**lo.

DEMANDER

« poser une question » → *preguntar*

- **Demande**-lui quand arrive son frère.
  Pregúntale cuándo llega su hermano.

« solliciter » → *pedir*

- Il m'a **demandé** cent euros.
  Me **ha pedido** cien euros.

demander de + inf. → *pedir que* + subj. présent ou imparfait

- Il lui **demande de** se taire.
  Le **pide que se calle**. [Concordance des temps au présent.]

- Il lui **a demandé de** se taire.
  Le **pidió que se callara**. [Concordance des temps au passé.]
  ► **Concordance des temps P. 56**

DEPUIS (QUE)

depuis + lieu → *desde*

- **Depuis** le rivage, on a vu le bateau se retourner.
  Desde la orilla vimos volcar el barco.

🔜 **depuis + date / moment du début de l'action → *desde***

- Elle t'attend **depuis** ce matin.
  Te está esperando **desde** esta mañana.

- J'occupe ce poste **depuis** février.
  Ocupo este puesto **desde** febrero.

🔜 **depuis + durée de l'action → *desde hace / hacía***

- Il t'attend **depuis** très longtemps.
  Te está esperando **desde hace** mucho tiempo.

- J'occupe ce poste **depuis** cinq mois.
  Ocupo este puesto **desde hace** cinco meses.

- Ils se connaissaient **depuis** vingt ans.
  Se conocían **desde hacía** veinte años.

🔜 **depuis (en fin de phrase) → *desde entonces, desde esa fecha, desde aquel momento***

- J'ai été engagée dans l'entreprise en février et j'occupe ce poste **depuis**.
  Me contrataron en la empresa en febrero y ocupo este puesto **desde entonces**.

🔜 **depuis que → *desde que* + indic.**

- Je ne l'ai plus revue **depuis qu'**elle est partie vivre à Las Palmas.
  No la he vuelto a ver **desde que** se fue a vivir a Las Palmas.

DEPUIS COMBIEN DE TEMPS ?

🔜 ***¿cuánto tiempo hace / hacía que?* ou *¿desde hace / hacía cuánto?* + verbe conjugué**

- **Depuis combien de temps** vous connaissez-vous ?
  ¿Cuánto tiempo hace que os conocéis?
  ¿Desde hace cuánto (tiempo) os conocéis?

- **Depuis combien de temps** on ne s'était pas vus ?
  ¿Cuánto tiempo hacía que no nos veíamos?
  ¿Desde hacía cuánto (tiempo) no nos veíamos?

- ¿cuánto tiempo? + llevar conjugué
  - Depuis combien de temps es-tu ici?
    ¿Cuánto tiempo llevas aquí?
  - Depuis combien de temps étiez-vous mariés?
    ¿Cuánto tiempo llevabais casados?
    ▸ PÉRIPHRASES VERBALES (2) P. 65

DEUX

- numéral → *dos* (cardinal), *segundo* (ordinal)
  - Ils ont deux filles.
    Tienen dos niñas.
  - Philippe II était le fils de Charles V.
    Felipe segundo era el hijo de Carlos quinto.
    ▸ CARDINAUX P. 23
    ▸ ORDINAUX P. 27

- « l'un et l'autre », tous deux → *ambos, los dos*
  - Tous deux étaient très satisfaits.
    Los dos estaban muy satisfechos.
    Ambos estaban muy satisfechos. [soutenu]

- à deux → *entre dos, dos*
  - Il est plus simple de faire un lit à deux.
    Es más fácil hacer una cama entre dos.
  - Voyager à deux coûte souvent moins cher.
    Viajar dos a menudo cuesta más barato.

- pour désigner deux éléments semblables → *un par de*
  - Il sera de retour dans deux jours.
    Estará de vuelta en un par de días.

- un sur deux → *uno / una de cada dos, cada dos*
  - Pratiquement un couple sur deux divorce ici?
    – Oui, un sur deux.
    —¿Prácticamente una pareja de cada dos se divorcia
    aquí? —Sí, una de cada dos.
  - Ce festival a lieu un an sur deux (tous les deux ans).
    Este festival tiene lugar cada dos años.

DEVANT

- devant → *delante*
  - Il s'est assis **devant**.
    Se sentó **delante**.

- devant + nom concret → *delante de*
  - La Poste est **devant** la mairie.
    Correos está **delante del** ayuntamiento.

- devant + nom abstrait → *ante*
  - Ils sont unis **devant** la loi.
    Están unidos **ante** la ley.

DEVENIR

- transformation involontaire et durable → *volverse*
  - Il **devient** de plus en plus maniaque.
    Se está volviendo cada vez más maniático.
  - Je **suis devenue** plus ordonnée avec l'âge.
    Me he vuelto más ordenada con la edad.

- transformation volontaire et durable (professionnelle, idéologique) → *hacerse*
  - À la fin elle **est devenue** écrivain.
    Al final **se ha hecho** escritora.
  - Ana **est devenue** bouddhiste et végétarienne.
    Ana **se ha hecho** budista y vegetariana.

NOTEZ BIEN
– Avec certains adjectifs, on peut utiliser aussi bien *volverse* que *hacerse*.
Elle **est devenue** écologiste.
Se ha vuelto ou Se ha hecho ecologista.

– *Hacerse* s'emploie pour l'âge.
Les enfants **deviennent** grands très vite.
Los niños **se hacen** mayores en seguida.

état résultant de la transformation → *quedarse*

- Malheureusement, il **devient** chauve.
  Por desgracia, **se está quedando** calvo.

- Ce T-shirt **est devenu** rose au lavage.
  Esta camiseta **se ha quedado** rosa al lavarla.

NOTEZ BIEN
Quedarse se trouve dans des expressions qui impliquent le résultat d'une transformation.

Elle **sera** rassurée si tu l'appelles en arrivant.
Se quedará más tranquila si la llamas al llegar.

Je **n'ai plus** de crédit sur mon portable.
Me he quedado sin saldo en el móvil.

transformation soudaine et passagère → *ponerse*

- L'essence **est devenue** très chère.
  La gasolina **se ha puesto** carísima.

- Il **devient** très nerveux quand il parle en public.
  Se pone muy nervioso cuando habla en público.

aboutissement d'un processus → *llegar a ser*

- Un jour, elle **deviendra** présidente de l'Université.
  Un día **llegará a ser** rectora de la Universidad.

pour insister sur le processus de transformation
→ *transformarse en*, *convertirse en*

- L'ancienne église **est devenue** une salle de concerts.
  La antigua iglesia **se ha transformado** ou **se ha convertido** en una sala de conciertos.

Qu'est-ce qu'il devient ? → *¿Qué es de él?*

- Que **sont devenus** tes amis chiliens?
  ¿Qué **ha sido de** tus amigos chilenos?

▸ RENDRE P. 144

DIRE QUE / DE

dire que + indic. → *decir que* + indic.

- Il **a dit** qu'il appellera plus tard.
  Ha dicho que llamará más tarde.

- Elle **dit** qu'elle dîne avec nous.
  Dice que cena con nosotros.

dire de + inf. → *decir que* + subj. présent ou imparfait

- Il nous **dit** toujours **de** venir lui rendre visite.
  Siempre nos **dice que vengamos** a visitarlo.
  [Concordance des temps au présent.]

- La dernière fois il nous a **dit de** venir lui rendre visite.
  La última vez nos **dijo que viniéramos** a visitarlo.
  [Concordance des temps au passé.]

▸ **CONCORDANCE DES TEMPS P. 56**

DONT

**complément d'un verbe ou d'un adjectif → préposition
(+ article) + pronom relatif**

- Le sujet **dont** tu parles m'intéresse énormément.
  El tema **del que** hablas me interesa muchísimo.
  [parler de : *hablar de*]

- Il m'a présenté la fille **dont** il est amoureux.
  Me ha presentado a la chica **de la que** está
  enamorado.
  [amoureux de : *enamorado de*]

- J'ai enfin trouvé la maison **dont** je rêvais.
  Por fin he encontrado la casa **con la que** soñaba.
  [rêver de : *soñar con*]

NOTEZ BIEN
– Si l'antécédent est précédé d'un article **défini**, *que* peut
ne pas être précédé d'un article.
El tema **de que** hablas me interesa muchísimo.
– Si l'antécédent est précédé d'un article **indéfini**, *que* est
obligatoirement précédé de l'article **défini**.
C'est **un** sujet **dont** on parle beaucoup.
Es **un** tema **del que** se habla mucho.
– *El cual / La cual...* ou *quien...*, plus soutenus, peuvent
remplacer *el / la que...*

**complément d'un nom précédé d'un article défini
→ *cuyo(s) / cuya(s)***

- J'ai un ami **dont** la sœur est ministre.
  Tengo un amigo **cuya hermana** es ministra.

- C'est un artiste **dont les** photographies ont fait le tour du monde.
  Es un artista **cuyas fotografías** han dado la vuelta al mundo.

NOTEZ BIEN

– *Cuyo* n'est pas suivi de l'article et s'accorde avec le nom qui le suit : *cuya hermana* / *cuyas fotografías*.

– Entre *cuyo* et le nom qui le suit peut s'interposer un adjectif mais **jamais** un verbe.

Voilà le réalisateur **dont le dernier film** a fait un tabac.
Mira, ese es el director **cuya última película** ha tenido tanto éxito.

À quoi bon rappeler cette histoire **dont tu connais la fin**?
¿Para qué recordar esa historia **cuyo final conoces**?

complément d'un nom précédé d'un article indéfini → *del* / *de la...* + pronom relatif, pronom relatif + périphrase avec *tener*

- Apporte le manteau **dont** tu as perdu **un** bouton. Je vais te le recoudre.
  Trae que te cosa el abrigo **del que** se te ha caído **un** botón.

- J'ai un ami **dont une** sœur est ministre.
  Tengo un amigo **que tiene una** hermana ministra.

complément d'un quantifieur → quantifieur + *de los* / *las cuales*

- J'ai rencontré trois de ses cousins, **dont deux** étaient Péruviens.
  He conocido a tres primos suyos, **dos de los cuales** eran peruanos.

- J'ai reçu cent mails, **dont la moitié** sont des spams.
  He recibido cien mails, **la mitad de los cuales** son spams.

« la façon dont » → *el modo en que* ou *como* + verbe conjugué, *mi* / *tu* / *su... modo de* + inf.

- Je n'ai pas du tout apprécié **la façon dont** il a agi.
  No me ha gustado nada **el modo en que** ha actuado ou **su modo** de actuar.

▸ RELATIFS P. 40

EN (PRÉPOSITION)

➤ **localisation dans l'espace ou le temps → *en***

- Elles ont habité la moitié de leur vie **en** Colombie.
  Han vivido la mitad de su vida **en** Colombia.

- Elle a écrit son roman **en** un mois.
  Escribió su novela **en** un mes.

➤ **en + verbe de mouvement → *a***

- Ils vont en vacances **en** Espagne tous les ans.
  Van de vacaciones **a** España todos los años.

➤ **en + matière → *de***

- Ici, on ne donne plus de sacs **en** plastique.
  Aquí ya no dan bolsas **de** plástico.

➤ **en + moyen de transport → *en***

- Il vient toujours au travail **en** voiture, jamais **en** métro.
  Siempre viene al trabajo **en** coche, nunca **en** metro.

EN (ADVERBE OU PRONOM)

➤ **« de là » → *de aquí / de ahí / de allí* (selon la distance)**

- Il s'**en** va pour refaire sa vie ailleurs.
  Se va **de aquí** para rehacer su vida en otra parte.

- J'**en** viens.
  Vengo **de allí**.

  ▸ ADVERBES DE LIEU P. 75

NOTEZ BIEN
Si le sens de la phrase est clair, on omet en espagnol le complément.
Je suis entrée dans le bar mais j'**en** suis sortie aussitôt à cause du monde.
Entré en el bar, pero **salí** inmediatamente por la de gente que había.

➤ **reprise d'un partitif → généralement Ø**

- J'ai vu des cerises magnifiques au marché. – Tu **en** as acheté ?
  —He visto unas cerezas riquísimas en el mercado.
  —¿Has comprado?

- complément d'un verbe + de → préposition (selon le verbe) + pronom, pronom

  - On **en** reparlera plus tard.
    Ya hablaremos **de eso** más tarde.
    Ya **lo** hablaremos más tarde.

  - Il **en** rêve depuis tout petit.
    Sueña **con ello** desde bien pequeño.

  NOTEZ BIEN

  Si le sens de la phrase est clair, on omet en espagnol
  le complément.

  Voilà Silvia. Tu t'**en** souviens ? – Mais bien sûr que je m'**en** souviens.
  – Ahí está Silvia. ¿Te acuerdas **de ella** ? –Pues claro que me acuerdo.

- complément d'un adjectif + de → préposition
  (selon l'adjectif) + pronom

  - Il a une vieille voiture mais il **en** est très satisfait.
    Tiene un coche viejo, pero está muy satisfecho **de él**.

- complément d'un nom → possessif, Ø

  - Avant d'acheter un tapis, il faut **en** négocier le prix.
    Antes de comprar una alfombra hay que negociar
    su precio ou **el** precio.

  ▸ IL Y A P. 135

EN + GÉRONDIF

- manière ou moyen → gérondif

  - Il me l'a annoncé **en contenant** son émotion.
    Me lo anunció **conteniendo** su emoción.

  - Ils s'amusent beaucoup **en jouant** aux échecs.
    Se lo pasan muy bien **jugando** al ajedrez.

- simultanéité → *al* + inf., gérondif

  - Je l'ai croisé **en entrant** dans l'immeuble.
    Me he cruzado con él **al entrar** en el edificio.

  - Il est interdit de téléphoner **en conduisant**.
    Está prohibido llamar por teléfono **conduciendo**.

  ▸ GÉRONDIF P. 60

ENCORE (QUANTITÉ)

➡ « davantage » → *más*

- Vous en avez **encore** ?
  ¿Tiene **más** ? ou ¿Le quedan **más** ?
- Il veut **encore** du lait.
  Quiere **más** leche.

➡ encore plus → *aún más, todavía más*

- Il voyage **encore plus** qu'avant.
  Viaja **aún más** ou **todavía más** que antes.

➡ « de plus » (nombre précis) → *uno / dos... / algunos más, otro / otros + numéral (+ más)*

- Je prendrais bien **encore** un ou deux chocolats.
  Me tomaría con gusto **uno o dos** bombones **más**.

➡ pour demander de répéter une action → *más, seguir* à l'impératif

- Recule ; **encore, encore, encore.**
  Haz marcha atrás; **más, más, más** ou **sigue, sigue, sigue.**

ENCORE (TEMPS)

➡ « toujours » (action qui se prolonge) → *todavía, aún, seguir + gérondif*

- As-tu **encore** mal ?
  ¿**Todavía** te duele ? ou ¿**Aún** te duele ?
  ¿Te **sigue doliendo** ?

➡ pas encore → *no... todavía, no... aún, seguir sin + inf.*

- Ils ne le lui ont **pas encore** dit.
  No se lo han dicho **todavía** ou **aún.**
  Siguen **sin decírselo.**

NOTEZ BIEN

La réponse « pas encore » correspond à *todavía no, aún no.*

Est-il déjà au courant ? – Non, **pas encore.**
—¿Está ya al corriente ? —No, **todavía no** ou **aún no.**

🔴 « une fois de plus » → *otra vez, una vez más, volver a + inf.*

- Zut ! Je suis **encore** dans le rouge.
  ¡Ostras! Estoy **otra vez** en números rojos.
  Vuelvo a estar en números rojos.

FACILE / DIFFICILE (À / DE)

🔴 facile / difficile à faire → *fácil / difícil de hacer*

- Cette écharpe est très **difficile à faire**.
  Esta bufanda es muy **difícil de hacer**.

🔴 il est facile / difficile de faire qqch. → *es fácil / difícil hacer algo*

- Il est **facile de se tromper** sur cette route.
  Es fácil equivocarse en esta carretera.

FAILLIR

🔴 *por poco, casi* + indic. présent

- L'année dernière au ski, il a **failli** se casser une jambe.
  El año pasado esquiando **casi** ou **por poco** se rompe una pierna.

- J'ai **failli** oublier son anniversaire !
  ¡**Casi** ou **Por poco** me olvido de su cumpleaños!

🔴 *estar a punto de* + inf.

El año pasado esquiando **estuvo a punto de** romperse una pierna.
¡**He estado a punto de** olvidarme de su cumpleaños!

FAIRE + NOM

🔴 faire (action) → *hacer*

- J'ai beaucoup de choses à **faire**.
  Tengo muchas cosas que **hacer**.

faire : expressions sans *hacer*

faire mal doler	faire un cauchemar tener una pesadilla
faire la cuisine cocinar	faire une plaisanterie gastar una broma
faire la vaisselle fregar los platos	faire des études d'histoire estudiar Historia
faire le ménage limpiar la casa	faire du cheval / du vélo montar a caballo / en bicicleta
faire les courses ir a la compra	faire du ski esquiar
faire les magasins, les soldes ir de compras, de rebajas	faire du tennis jugar al tenis
faire un rêve soñar, tener un sueño	faire du piano tocar el piano

- Que **faites**-vous dans la vie ?
  ¿A qué **se dedica** ?

- Cette sieste m'a **fait du bien**.
  Esta siesta me **ha sentado bien**.

faire : expressions avec *dar*

faire de la peine dar pena	faire honte dar vergüenza
faire pitié dar lástima	faire un tour dar una vuelta, dar un paseo
faire peur dar miedo	faire plaisir dar gusto, dar alegría

FAIRE + VERBE

faire + inf. → *hacer* + inf., *hacer que* + subj.

- C'est lui qui nous a **fait découvrir** cet endroit.
  Fue él quien nos **hizo descubrir** este lugar.
  Fue él quien **hizo que descubriéramos** este lugar.

faire bien de + inf. → *hacer bien en* + inf., *hacer bien* + gérondif

- Tu as bien fait d'annuler ce rendez-vous.
  Has hecho bien en anular ou **anulando** esa cita.

se faire + inf. → verbe réfléchi (action volontaire) / 3ᵉ pers. du plur. (action involontaire)

- Je me suis fait **couper** les cheveux très courts.
  Me he cortado el pelo muy corto.

- Il s'est fait renvoyer de son travail.
  Lo han echado del trabajo.

▸ ON P. 138

« obliger qqn à faire qqch. » → *hacer hacer algo a alguien*, *obligar a hacer algo a alguien*

- Il leur fait **apprendre** leurs leçons par cœur.
  Les **hace aprender** ou Les **obliga a aprender** las lecciones de memoria.

FALLOIR (IL FAUT)

il faut + nom → *hace falta* ou *se necesita* + nom

- Pour l'Europe, **il faut** un timbre un peu plus cher.
  Para Europa **hace falta** ou **se necesita** un sello un poco más caro.

- Dans ce quartier, **il faudrait** plus de garderies.
  En este barrio, **harían falta** ou **se necesitarían** más guarderías.

NOTEZ BIEN
Hacer et *necesitar* s'accordent avec le nom qui suit.

il me / te... faut + nom → *necesito / necesitas*... ou *me / te*... *hace falta* + nom

- Il me faut des ciseaux.
  Necesito ou **Me hacen falta** unas tijeras.

NOTEZ BIEN
Hacer s'accorde avec le nom qui suit.

il faut que je / tu... + subj. → *tengo / tienes que*... + inf., *hace falta que*, *es preciso* ou *necesario que* + subj.

- Il faut que tu le saches.
  Tienes que saberlo.
  Es preciso que lo sepas.

il faut + inf. → *hay que*, *hace falta*, *es preciso* ou *necesario* + inf.

- Il faut s'inscrire avant la fin du mois.
  Hay que matricularse antes de finales de mes.

- Pour ce poste, **il faut** maîtriser parfaitement le chinois.
  Para este puesto, **hace falta** dominar perfectamente el chino.
  Para este puesto **es preciso** ou **necesario** dominar perfectamente el chino.

▸ PÉRIPHRASES VERBALES (1) P. 64

IL Y A

il y a (existence) + nom → *hay (había / habrá / habría...)* + nom

- Maman, il y a deux messieurs qui veulent te voir.
  Mamá, **hay** dos señores que quieren verte.

- Si nous avions bien arrosé le jardin, il y aurait plein de fraises maintenant.
  Si hubiéramos regado bastante el jardín, ahora **habría** un montón de fresas.

NOTEZ BIEN

Quand « il y a » est suivi d'un nom propre ou d'un nom précédé d'un article défini, d'un démonstratif ou d'un possessif, on emploie *estar* conjugué.

Il y aura aussi Sandra et Esteban ?
¿**Estarán** también Sandra y Esteban?

Sur la commode, il y a son porte-feuille et il y a aussi les clés de la maison.
Encima de la cómoda **está** su monedero y también **están** las llaves de la casa.

il y a (se passer) → *pasar*

- Qu'est-ce qu'il y a encore ?
  ¿Qué **pasa** ahora?

il y en a → (pronom +) *hay*

- Des problèmes, il y en aura toujours.
  Problemas siempre **(los) habrá**.

■ il y en a qui → *los hay que* + verbe au plur., *hay quien* + verbe au sing.

- Il y en a qui pensent qu'il réussira.
  Los hay que piensan que lo conseguirá.
  Hay quien piensa que lo conseguirá.

■ il y a... que (intervalle temporel) → *hace (hacía / hará / haría)... que*

- Il y a deux ans qu'Esteban a arrêté de fumer.
  Hace dos años **que** Esteban ha dejado de fumar.

NOTEZ BIEN

Comme « il y a » en français, *hay* et *hace* sont toujours au singulier en espagnol et se conjuguent à tous les temps.

Il y avait une abeille / deux abeilles sur cette fenêtre.
Había una abeja / dos abejas en esa ventana.

MAIS

■ pour contredire l'idée impliquée par l'énoncé précédent → *pero*

- Il ne mange pas beaucoup, **mais** il grossit.
  No come mucho, **pero** engorda.

■ pour rectifier l'énoncé négatif précédent → *sino (que)*

- Non, je ne porte pas des lunettes **mais** des lentilles.
  No, no uso gafas **sino** lentillas.

- Je ne t'ai pas demandé de me l'offrir, **mais** de me le prêter.
  No te he pedido que me lo regales, sino que me lo prestes.

▸ COORDINATION P. 90

MÊME

■ le même (identité) → *mismo(s) / misma(s) (que)*

- Il habite la **même** rue qu'avant.
  Vive en la **misma** calle **que** antes.

- Il a le **même** visage **que** son père.
  Tiene la **misma** cara **que** su padre.

même (insistance) → *mismo(s) / misma(s)*

- Attends-moi ici **même**, je reviens à l'instant.
  Espérame aquí **mismo**, ahora **mismo** vuelvo.

« y compris » → *incluso, hasta, aun*

- Ceci est valable pour tout le monde, **même** pour toi.
  Esto es válido para todo el mundo, **incluso** para ti.

- **Même** les enfants le savent.
  Hasta los niños lo saben.

ne... même pas → *ni siquiera*

- Nous n'avons **même pas** de lait.
  Ni siquiera tenemos leche.

même si → *aunque*

- Ce n'est pas moi qui ai cassé la porte, **même si** tu crois
  le contraire.
  No soy yo quien ha roto la puerta, **aunque** creas
  lo contrario.

▸ **SUBORDONNÉES DE CONCESSION P. 102**

NE... QUE

« seulement » → *no... más que, no... sino, solo*

- Il **ne** s'entend **qu'**avec son chien.
  No se lleva bien **más que** con su perro.

- Je **ne** te demande **que** ton avis.
  No te pido **sino** tu opinión.

- Ta mère **ne** cherche **que** ton bien.
  Tu madre **solo** quiere tu bien.

▸ **PHRASE NÉGATIVE P. 84**

« seulement alors » → *no... hasta, no... antes de*

- Les nouveaux locataires **n'**arrivent **que** dimanche.
  Los nuevos inquilinos **no** llegan **hasta** el domingo.

■ **personne indéterminée distincte du locuteur** → **3ᵉ pers. du plur.**, *la gente* + **3ᵉ pers. du sing.**

- On **vient** réparer le chauffe-eau aujourd'hui.
  Hoy **vienen** a arreglar el calentador.

- Ne crois pas tout ce qu'**on** dit.
  No te creas todo lo que **la gente** va diciendo.

■ **personne indéterminée pouvant inclure le locuteur**
  → *se* + **3ᵉ pers.**

- **On** ne vit qu'une fois.
  Solo **se vive** una vez.

- **On** a découvert de nouveaux remèdes contre
  le paludisme.
  Se han descubierto nuevos medicamentos contra
  la malaria.

> ▸ PHRASE PASSIVE P. 86
> ▸ PHRASE IMPERSONNELLE P. 87

■ **personne indéterminée à laquelle le locuteur s'identifie**
  → *uno / una* + **3ᵉ pers. du sing.**

- Aujourd'hui, **on** se marie et **on** divorce plus facilement
  qu'il y a cinquante ans.
  Hoy, **uno** se casa y se divorcia más fácilmente
  que hace cincuenta años.

■ **« nous »** → (*nosotros* +) **1ʳᵉ pers. du plur.**

- **On** se connaît depuis dix ans.
  Nos conocemos desde hace diez años.

- **On** y va !
  ¡Vamos!

■ **« tu », « vous »** → **1ʳᵉ pers. du plur.**

- Alors, comme ça, **on** s'en va sans dire au revoir ?
  ¿Así que **nos vamos** sin despedir**nos**?

OÙ

■ **où (lieu) → *en (el) que, en el cual, (préposition +) donde***

- Nous n'avons pas voulu rester dans la ville **où** nous sommes nés.
  No hemos querido quedarnos en la ciudad **en la que** nacimos.

- Il n'y a aucun magasin là **où** il habite.
  Donde vive no hay ni una tienda.

NOTEZ BIEN

Lorsque le nom du lieu n'est pas mentionné, seul *(préposition +) donde* est possible.

Elle ira travailler où on lui dira.
Irá a trabajar **adonde** le digan.

■ **où (temps) → *en (el) que, en el cual, durante el que, durante el cual***

- Nous finissons toujours par parler du temps **où** nous nous sommes rencontrés.
  Siempre acabamos hablando de la época **en que** nos conocimos.

- Ils se sont mariés l'été **où** il a fait si mauvais.
  Se casaron el verano **durante el que** hizo tan malo.

NOTEZ BIEN

En que, en el que et *en el cual* peuvent exprimer une idée de lieu ou de temps. *Donde* ne peut exprimer qu'une idée de lieu.

■ **où ? (lieu) → *(préposition +) dónde***

- Où vous êtes-vous garés⸮
  ¿**Dónde** habéis aparcado⸮

- Sais-tu **d'**où je viens⸮
  ¿Sabes **de dónde** vengo⸮

- Il ne sait **où** aller.
  No sabe **adónde** ir.

- **« à travers » (lieu) → *por***

  - Nous sommes allés en Allemagne en passant
    par la Hollande.
    Hemos ido a Alemania pasando **por** Holanda.

- **fréquence (temps) → *al, por***

  - La mairie nettoie ce quartier plusieurs fois **par** jour.
    El ayuntamiento limpia este barrio varias veces
    al día.

  - Nous emmenons Jorge à la garderie deux jours
    par semaine.
    Llevamos a Jorge a la guardería dos días **por** semana.

- **valeur distributive → *por, en***

  - Nous avons prévu une bouteille **par** personne.
    Hemos previsto una botella **por** persona.

  - Les collégiens marchaient **par** groupes de dix.
    Los colegiales caminaban **en** grupos de diez.

- **dans un complément d'agent ou de cause → *por***

  - L'été dernier, la pinède a été ravagée **par** un incendie
    volontaire.
    El verano pasado, el pinar fue destruido
    por un incendio provocado.

  - Nous avons raté le train **par** sa faute.
    Perdimos el tren **por** su culpa.

▸ POUR P. 143
▸ PRÉPOSITIONS (2) P. 81-82

PEINE (À PEINE)

- **à peine (presque pas) → *no* + verbe + *apenas, casi no***

  - Elle a à peine mangé.
    No comió **apenas** ou **Casi no** comió.

> **NOTEZ BIEN**
> *Apenas* peut figurer en tête de phrase, auquel cas *no* ne
> s'emploie pas.
> **Apenas** comió.

🔹 **à peine... que → apenas... (cuando) + indic., nada más + inf.**

- À peine est-il parti que vous êtes arrivés.
  Apenas se fue él, **(cuando)** llegasteis vosotros.
  Nada más irse él, llegasteis vosotros.

> **NOTEZ BIEN**
> *Apenas* peut être suivi d'un infinitif et d'un pronom personnel
> sujet.
> **Apenas** irse él, llegasteis vosotros.

▸ **SUBORDONNÉES DE TEMPS** P. 98

PEUT-ÊTRE

🔹 **doute faible → quizá(s), a lo mejor, igual, tal vez, acaso + indic.**

- Demande à Juan. **Peut-être** bien qu'il le sait lui.
  Pregúntale a Juan. **A lo mejor** lo sabe él.

🔹 **doute fort → quizá(s), tal vez, acaso + subj.**

- Il n'est pas venu⸮ Il est **peut-être** malade.
  ¿No ha venido⸮ **Quizás** esté enfermo.

> **NOTEZ BIEN**
> Lorsque ces adverbes sont placés derrière le verbe,
> seul l'indicatif est possible.
> Le tremblement de terre a **peut-être** détruit la ville.
> El terremoto **ha destruido tal vez** la ciudad.
> El terremoto **tal vez ha** ou **haya destruido** la ciudad.

🔹 **ironie → acaso + indic., indic. + quizá(s), tal vez (en fin de phrase)**

- Tu n'étais pas au courant qu'on t'attendait, **peut-être**⸮
  ¿**Acaso** no sabías que te estábamos esperando⸮

- Je parle trop, **peut-être**⸮
  ¿Hablo demasiado, **tal vez**⸮

➤ plus... / moins... que + nom / pronom → *más / menos... que* *+ nom / pronom*

- Ma prochaine voiture sera **plus** écologique **que** celle-ci.
  Mi próximo coche será **más** ecológico **que** este.

- Nous habitons ici depuis **moins** longtemps
  que ta sœur.
  Llevamos viviendo aquí **menos** tiempo
  que tu hermana.

➤ plus / moins... que + proposition → *más / menos... de* *+ proposition*

- Gerardo a **plus de** disques **que** je ne pensais.
  Gerardo tiene **más** discos **de** los que yo pensaba.

- Je suis **moins** patient que tu ne le crois.
  Soy **menos** paciente **de** lo que tú te crees.

➤ plus / moins... plus / moins → *cuanto más / menos...* *(tanto) más / menos*

- **Plus** il me téléphone et **moins** j'ai envie de lui parler.
  Cuanto más me llama, **menos** me apetece hablar
  con él.

NOTEZ BIEN
Cuanto est suivi du subjonctif pour faire référence au futur.
Plus tôt on partira et **moins** il y aura de circulation.
Cuanto antes salgamos, **menos** tráfico habrá.

➤ le plus / le moins... de / que → *el más / el menos... de / que*

- Devine qui est la **plus** maline **des** trois.
  Adivina cuál es **la más** lista **de** las tres.

- C'est la blague la **moins** drôle que j'aie jamais
  entendue !
  ¡Es **el** chiste **menos gracioso que** he oído nunca!

▸ COMPARATIFS ET SUPERLATIFS P. 38

POUR

destinataire, but, direction → *para (que)*, *a*

- Tiens, cette lettre est **pour** toi.
  Toma, esta carta es **para** ti.

- Vous avez une minute **pour** passer me voir?
  ¿Tenéis un minuto **para** pasar a verme?

- Il est venu **pour** me rendre la tondeuse.
  Ha venido **a** devolverme el cortacésped.

- Ma copine Clara a pris le premier vol **pour** Londres.
  Mi amiga Clara ha cogido el primer vuelo **para** Londres.

NOTEZ BIEN
Por s'emploie parfois aussi comme *para* pour exprimer le but.

Je n'ai rien dit à ma mère **pour** ne pas l'inquiéter.
No le dije nada a mi madre **por** ou **para** no preocuparla.

cause → *por*

- Elle prétend qu'elle a accepté ce travail **pour** moi.
  Pretende que ha aceptado ese trabajo **por** mí.

- Merci **pour** tout!
  ¡Gracias **por** todo!

- Je peux te parler de ce livre **pour** l'avoir lu récemment.
  Te puedo hablar de ese libro **por** haberlo leído hace poco.

« en échange de », « à la place de » → *por*

- Nous avons acheté trois bottes de fleurs **pour** sept euros.
  Hemos comprado tres ramos de flores **por** siete euros.

- Votre femme peut signer **pour** vous.
  Su mujer puede firmar **por** usted.

proportion → *por*

- Le chômage a baissé de cinq **pour** cent cette année.
  El paro ha bajado un cinco **por** ciento este año.

équivalence → *por*

- Ton fils me prend **pour** un idiot.
  Tu hijo me toma **por** tonto.

« à l'égard de », « en faveur de » → *por*

- Tu vas voter **pour** lui¿
  ¿Vas a votar **por** él¿

▶ Prépositions (2) p. 81-82

RENDRE

rendre qqch. → *devolver algo*

- Je ne lui **ai** pas encore **rendu** sa perceuse.
  Todavía no le **he devuelto** su taladradora.

« faire devenir » → *volver, hacer, poner*

- Autant de travail me **rend** folle.
  Tanto trabajo **me vuelve** loca.
- Ces situations le **rendent** malade.
  Estas situaciones **lo ponen** enfermo.
- Cet homme la **rend** heureuse.
  Este hombre **la hace** feliz.

▶ Devenir p. 125

RESTER (DEMEURER)

« ne pas partir », « ne pas bouger » → *quedarse*

- Nous **resterons** à Madrid cet été.
  Este verano **nos quedaremos** en Madrid.

« passer du temps à » → *quedarse* ou *pasar(se)* + gérondif

- La nuit, je **reste** à lire jusqu'à très tard.
  Por las noches, **me quedo leyendo** hasta las tantas.
- Ils **restaient** des heures et des heures à regarder les étoiles.
  (Se) pasaban horas y horas **mirando** las estrellas.

■ « demeurer » → *seguir, seguir siendo, seguir (estando)*

- Rien n'a changé, tout est **resté** pareil.
  Nada ha cambiado, todo **sigue** igual.

- Elle **reste** fidèle à elle-même.
  Sigue siendo la misma de siempre.

- Nous **restons** très amoureux l'un de l'autre.
  Seguimos (estando) muy enamorados.

RESTER (IL RESTE)

■ il reste → *quedar*

- Il nous **reste** cinq cents euros pour finir le mois.
  Nos **quedan** quinientos euros para acabar el mes.

- Est-ce qu'il **reste** du café ?
  ¿**Queda** café?

■ il reste + expression temporelle → *faltar* (compte à rebours)

- Il **reste** trois jours d'ici la fin de l'année.
  Faltan tres días de aquí a fin de año.

NOTEZ BIEN
Quedar et *faltar* s'accordent avec l'expression qui les suit.

■ il reste à + inf. → *quedar (por)* + inf.

- Tu sais ce qu'il te **reste** à faire.
  Ya sabes lo que te **queda por** hacer.

- Il ne me **reste** plus qu'à ranger un peu la chambre.
  Solo me **queda** ordenar un poco la habitación.

SI (ADVERBE)

■ « aussi » → *tan*

- Le noir te va **si** bien !
  ¡El negro te sienta **tan** bien!

- À quarante ans, il n'est plus **si** jeune.
  Con cuarenta años, ya no es **tan** joven.

▸ AUSSI P. 108

- si... que (conséquence) → *tan... que, tan... como para (que)* + inf.

  - Elle s'est couchée si tard qu'elle n'a pas entendu
    le réveil sonner.
    Se acostó **tan** tarde **que** no oyó sonar el despertador.

  - Il n'est pas si riche qu'il puisse s'arrêter de travailler.
    No es **tan** rico **como para** permitirse dejar
    de trabajar.

    ▸ SUBORDONNÉES DE CONSÉQUENCE P. 100

- si... que (concession) → *por muy* ou *mucho... que* + subj.

  - Si bizarre que ça paraisse, je ne l'ai jamais rencontrée.
    Por muy raro que parezca no la he visto nunca.

    ▸ AVOIR BEAU P. 112

SUR, AU-DESSUS

- sur → *sobre, encima de*

  - Pour commencer, pose tes doigts sur les touches
    du piano.
    Para empezar, pon los dedos **sobre** las teclas
    del piano.

  - Le café est sur la table de la cuisine.
    El café está **encima de** la mesa de la cocina.

- « à un endroit » → *en, por*

  - Il y a plus d'un million d'espèces animales sur la terre.
    Hay más de un millón de especies animales
    en la tierra.

  - Tous les matins, je marche une demi-heure sur la plage.
    Cada mañana camino media hora **por** la playa.

- « à propos de » → *sobre*

  - Je ne connais rien sur ce sujet.
    No sé nada **sobre** ese tema.

⬛ **(au-)dessus (de)** → *(por) encima (de)*, *arriba*

- Où sont mes lunettes ? – Tu es assis **dessus**.
  —¿Dónde están mis gafas? — Estás sentado **encima**.

- Il se croit **au-dessus** des lois.
  Se cree que está **por encima de** la ley.

- L'armoire est pleine, mets ta valise **au-dessus**.
  El armario está lleno, deja tu maleta **arriba**
  ou **encima**.

TEL (QUE)

⬛ **un tel / une telle (intensité)** → *tal* ou *semejante* + nom,
article + nom + *tal* ou *semejante*

- Je ressens **un tel** découragement…
  Siento **tal** desánimo…

- D'où sors-tu **une telle** idée ?
  ¿De dónde te sacas **semejante** idea?

- Tu n'a jamais eu **une telle** chance.
  Nunca has tenido una oportunidad **tal** ou **semejante**.

⬛ **tel que** → *tal y como*, *así como*

- Après l'accident, la voiture est restée **telle que**
  tu la vois.
  Después del accidente, el coche se ha quedado
  tal y como lo ves.

⬛ **tel quel** → *tal cual* (invariable)

- Elle a trouvé les lits défaits et elle les a laissés
  tels quels.
  Se ha encontrado las camas deshechas y las
  ha dejado **tal cual**.

⬛ **un tel / une telle** → *fulano*, *fulanito*

- J'ai rencontré **un tel**.
  He visto a **fulanito**.

TOUJOURS

- « constamment » → *siempre*

  - La porte de son bureau est **toujours** ouverte.
    La puerta de su despacho está **siempre** abierta.

- « encore » → *seguir* + gérondif, *todavía*, *aún*

  - Tu vois **toujours** María?
    ¿Sigues viendo a María?

  - Il attend **toujours** ta réponse.
    Aún está esperando tu respuesta.

- « quand même » → *de todos modos*

  - On est un peu débordés en ce moment, mais appelle
    toujours…
    Estamos un poco liados en este momento,
    pero llámanos **de todos modos**.

- toujours est-il que → *el caso es que*, *lo cierto es que*

  - **Toujours est-il que** Federico est parti de chez
    ses parents.
    El caso es que Federico se ha ido de casa
    de sus padres.

VENIR (DE)

- venir (mouvement) → *venir a*

  - Ils **viennent** en Europe deux fois par an.
    Vienen a Europa dos veces al año.

  NOTEZ BIEN
  « Venir en » + nom de lieu se dit toujours *venir a*.

  - Tu **viens** chez nous ce soir?
    ¿Vienes a casa esta noche?

  - Ils **venaient** toujours se balader dans cette forêt.
    Siempre **venían a** pasear por este bosque.

NOTEZ BIEN

Venir s'utilise uniquement en espagnol pour un déplacement vers le lieu où se trouve la personne qui parle.
Ir s'utilise dans les autres cas. Cela ne correspond pas toujours au français.

Tu es déjà chez toi ? Tu veux que je **vienne** t'aider ?
¿Ya estás en tu casa? ¿Quieres que **vaya** a ayudarte?

Maman ! – Oui, un instant, je **viens** !
—¡Mamá! —Sí, un momento, ¡ya **voy**!

━ **venir de + inf. → *acabar de* + inf.**

- Elle **vient de** partir à l'instant.
  Acaba de irse ahora mismo.

- Je **venais d'**avoir 20 ans.
  Acababa de cumplir 20 años.

VOICI, VOILÀ

━ **présente un objet, une personne, un élément du discours
→ *este es*, *aquí está*, *he aquí* (soutenu)**

- **Voici** enfin l'été !
  ¡Aquí está ya el verano!

- **Voici** ma fille.
  Ésta es mi hija.

- **Voici** la raison de son refus.
  He aquí la razón de su negativa.

━ **indique un état → *estar ya*, *tener ahí***

- Te **voilà** revenue.
  Ya estás de vuelta.

- Le **voilà** encore fâché !
  ¡Ahí lo tienes enfadado otra vez!

━ **indique une durée → *hacer ya* + expression de durée**

- **Voilà** trois ans que nous habitons cette maison.
  Hace ya tres años que vivimos en esta casa.

voilà (conclusion) → *nada más, ¡eso es todo!, ¡(y) punto!, ¡y no se hable más!*

- Je voulais seulement te faire plaisir. **Voilà**.
  Solo quería agradarte. **Nada más** ou **Eso es todo**.
- Tu vas aider ton père cet après-midi. Et **voilà**.
  Vas a ayudar a tu padre esta tarde. **Y punto**
  ou **Y no se hable más**.

VOTRE, VÔTRE

correspondant à *vosotros* → *vuestro(s) / vuestra(s)*

- Je viens de voir **vos** filles qui traversaient la rue.
  Acabo de ver a **vuestras** hijas cruzando la calle.
- Ana, Lola, avez-vous déconnecté **vos** portables ?
  Ana, Lola, ¿habéis desconectado **vuestros** móviles ?

correspondant à *usted / ustedes* → *su(s) + nom, suyo(s) / suya(s)*

- Monsieur, vous oubliez **votre** portefeuille.
  Señor, se olvida **su** cartera.
- **Vos** clefs, s'il vous plaît.
  Sus llaves, por favor.
- Excusez-moi, je crois que cette place n'est pas la **vôtre**.
  Disculpe, pero creo que este asiento no es el **suyo**.

NOTEZ BIEN
Su(s) / suyo(s) / suya(s) servent aussi à indiquer la possession avec la 3e personne.

Je n'ai pas vu **sa** maison.
[la maison de Marie]

Je n'ai pas vu **votre** maison.
No he visto **su** casa.

▸ FORMES AMÉRICAINES P. 153
▸ POSSESSIFS P. 21-22

Y (ADVERBE OU PRONOM)

▸ **«ici»/«là»/«là-bas»** → *aquí / ahí / allí* ou *en él / en ella*

- J'y suis, j'y reste.
  Aquí estoy, **aquí** me quedo.

- Où est la salle 220 ? – Vous y êtes.
  —¿Dónde está el aula 220? —Está usted **en ella**.

- Nous y allons en vacances depuis dix ans.
  Vamos **allí** de vacaciones desde hace diez años.

> **NOTEZ BIEN**
> Avec *ir*, le complément de lieu est souvent omis.
> Vas-y demain.
> Ve mañana.

▸ **«à» + nom** → préposition (selon le verbe) + pronom, pronom

- Il y pense sans arrêt.
  Piensa **en ello** todo el tiempo.

- Pourquoi y as-tu renoncé ?
  ¿Por qué has renunciado **a ello**?

- N'y touche pas, c'est fragile.
  No **lo** toques, es frágil.

▸ IL Y A P. 135

L'espagnol est langue officielle dans 21 pays. Il est parlé
par environ 400 millions de locuteurs. Des différences
de prononciation, de grammaire et de lexique existent
entre l'espagnol d'Espagne et l'espagnol d'Amérique.

Ces différences sont dues principalement au développement
des dialectes américains après la découverte et la colonisation
du continent et à une plus grande influence des langues
amérindiennes (le náhuatl, le maya, le quechua, le guaraní…).

Les hispanophones se comprennent tout en parlant
des dialectes partiellement différents. Par ailleurs, certains
dialectes d'Espagne, tel l'andalou, sont plus proches
des dialectes américains que du « castillan », parlé dans
le centre-nord de la péninsule.

PRONONCIATION

- Le son [θ] se confond avec [s] en Andalousie et en Amérique :
  corazón [korasón]. On parle alors de **seseo**. Par ailleurs,
  le [s] américain ressemble au [s] français. En revanche,
  le [s] castillan est légèrement chuintant.

- Le son [x] se prononce aspiré [h] en Andalousie, dans
  les Antilles, l'Amérique Centrale, en Colombie… : *caja* [káxa]
  ou [káha].

- L'aspiration de *-s* en fin de syllabe ou en fin de mot est très
  fréquente en Uruguay, au Chili, à Cuba… Elle disparaît
  sur les côtes de Colombie ou du Vénézuela, à Saint Domingue
  ou Porto Rico. Pour un même mot, on peut donc entendre
  (parfois chez un même locuteur) : *amigos* [amíɣos], [amíɣoh]
  ou [amíɣo].

- La plupart des hispanophones prononcent de la même façon
  y et *ll*. La prononciation de [j] (écrit *y* ou *ll*) ressemble
  en Argentine et en Uruguay à celle d'un *j* français [ʒ].
  À Montevideo et Buenos Aires, elle tend actuellement à se
  rapprocher de *sh* [ʃ] : *yo* [ʒó] ou [ʃó], *llamó* [ʒamó] ou [ʃamó].

GRAMMAIRE

▬ Dans une grande partie de l'Amérique, on utilise *vos* à la place de *tú (voseo)*. La forme correspondante de pronom complément sans préposition est *te* et les possessifs *tu* et *tuyo*. Ce pronom s'accompagne de formes verbales spécifiques à l'indicatif présent, à l'impératif et souvent aussi au subjonctif présent.

- ¿**Vos** también **te** querés quedar en **tu** casa?
  Toi aussi, tu veux rester chez toi?

  ▸ CONJUGAISON AMÉRICAINE P. 221-251

▬ Dans toute l'Amérique, on utilise *ustedes* à la place de *vosotros*. De ce fait, avec *ustedes* on s'adresse à plusieurs interlocuteurs que l'on tutoie ou que l'on vouvoie (comme en français).

- ¿**Ustedes** ya **se** conocían en **su** país? [Amérique]
- ¿**Vosotros** ya **os** conocíais en **vuestro** país?
  ¿**Ustedes** ya **se** conocían en **su** país? [Espagne]
  Vous connaissiez-vous déjà dans votre pays?

  ▸ VOTRE, VÔTRE P. 150

▬ De manière générale, le passé composé s'emploie en Espagne pour une période de temps qui relève encore du présent du locuteur (voir p. 51-52). En Amérique, le passé simple peut aussi avoir cette valeur.

- **Se han divorciado** este año./**Se divorciaron** el año pasado. [Espagne]

  Se divorciaron este año/el año pasado. [Amérique]
  Ils ont divorcé cette année/l'année dernière.

▬ En Amérique, le passé composé exprime une action qui a lieu ou peut avoir lieu à d'autres reprises, le passé simple exprime une action terminée qui ne peut plus se produire.

- El nadador **ganó** dos medallas de oro.
  Le nageur a gagné deux médailles d'or.
  [Il ne pourra plus en gagner : il est à la retraite.]
- El nadador **ha ganado** dos medallas de oro.
  Le nageur a gagné deux médailles d'or.
  [Il peut en gagner d'autres.]

LEXIQUE

Les différences de vocabulaire entre l'Espagne et l'Amérique
sont de trois types : termes abandonnés en Espagne
mais conservés en Amérique, termes techniques
de la navigation qui ont pris un sens général en Amérique,
et emprunts spécifiques d'Amérique aux langues amérindiennes et à l'anglais, principalement.

AMÉRIQUE	ESPAGNE	
un boleto	un billete	un ticket
botar	tirar	jeter
bravo	enfadado	fâché
el carro	el coche	la voiture
un chancho	un cerdo	un cochon
un durazno	un melocotón	une pêche
una estampilla	un sello	un timbre postal
una frazada	una manta	une couverture
un frijol	una judía	un haricot
un jugo	un zumo	un jus de fruits
la licencia	el carné	le permis de conduire
lindo	bonito	mignon
manejar	conducir	conduire
la papa	la patata	la pomme de terre
pararse	ponerse de pie	se mettre debout
una pieza	una habitación	une chambre
la plata	el dinero	l'argent
una pollera	una falda	une jupe
recordarse	despertarse	se réveiller
una valija	una maleta	une valise
zonzo	tonto	stupide

Vocabulaire

@ Vous trouverez sur le site
www.bescherelle.com
l'enregistrement intégral
de la rubrique
«Vous les connaissez.
Savez-vous les prononcer?».

Abréviations utilisées
pers. : personne
qqn : quelqu'un
qqch. : quelque chose
Amér. : Amérique
Esp. : Espagne
Mex. : Mexique

Le masculin est utilisé dans les listes qui suivent
comme genre grammaticalement non marqué
pour les noms et les adjectifs.
La mention de *[ser]* ou *[estar]* devant un adjectif
précise avec lequel de ces deux verbes l'adjectif
s'emploie dans le sens indiqué.

① L'individu

L'ÉTAT CIVIL

los papeles : les papiers
el DNI (Documento nacional de identidad) : la carte nationale d'identité
un documento de identidad : une pièce d'identité

el nombre : le prénom
el apellido : le nom de famille
un apodo : un surnom
las señas : les coordonnées

la fecha de nacimiento : la date de naissance

nacido en : né à
soltero : célibataire
casado : marié
viudo : veuf

hombre : masculin
mujer : féminin

llamarse : s'appeler

Abréviations et diminutifs de quelques prénoms très fréquents

[pour une homme]

José → Pepe, Pepito
Francisco → Paco, Paquito
Ignacio → Nacho

[pour une femme]

Consuelo → Chelo, Chelito
Dolores → Lola, Lolita
Concepción → Concha, Conchita

UN PEU DE CONVERSATION

- Documentación, por favor.
  Vos papiers, s'il vous plaît.

- — Se me ha caducado el carné de identidad.
  —¿Por qué no lo renuevas en la comisaría del barrio?
  Ma pièce d'identité est périmée. – Tu pourrais la faire renouveler dans le commissariat du quartier.

- El nombre completo de los españoles consta de un nombre de pila y de dos apellidos.
  Le nom complet des Espagnols se compose d'un prénom et de deux noms de famille.

- A nuestro hijo le pusimos como a su abuelo materno, Santiago.
  Nous avons donné à notre fils le prénom de son grand-père maternel, Santiago.

- Soy de Sevilla. Me llamo Dolores, pero todo el mundo me llama Lola.
  Je suis de Séville. Je m'appelle Dolores, mais tout le monde m'appelle Lola.

- Tienes acento del norte, ¿eres vasca?
  Tu as un accent du Nord. Tu es basque?

L'ASPECT PHYSIQUE

la figura : la silhouette	espigado : élancé
la altura : la taille	rechoncho : trapu
el peso : le poids	barrigudo : ventru
el pelo : les cheveux	peludo : poilu
el bigote : la moustache	calvo : chauve
las gafas : les lunettes	
	largo / corto : long / court
alto : grand	rubio : blond
bajo : petit	moreno : brun
gordo : gros	castaño : châtain
delgado : mince	pelirrojo : roux
guapo : beau	engordar : grossir
feo : moche	adelgazar : maigrir
	crecer : grandir
fuerte : fort	medir : mesurer
fornido : musclé	
enclenque : chétif	

▸ LE CORPS P. 162

UN PEU DE CONVERSATION

- Acabo de ponerme a régimen. ¿Se me nota?
  Je viens de commencer un régime. Ça se voit?

- ¡Qué buen tipo tiene con cincuenta años! ¡Ni un michelín!
  À cinquante ans, elle a vraiment la ligne! Pas un bourrelet!

- ¡Te queda mucho mejor el pelo rizado!
  Ça te va beaucoup mieux, les cheveux frisés!

- Es alto y delgado, igualito que su padre.
  Il est grand et mince, c'est son père tout craché.

LA PERSONNALITÉ

un defecto : un défaut
una virtud : une qualité
una manía : une manie

alegre : gai
entusiasta [avec *ser*] : enthousiaste
depresivo [avec *ser*] : dépressif

servicial : serviable
educado : courtois
grosero : grossier
desagradable : désagréable

egoísta : égoïste
envidioso : envieux

generoso : généreux
despilfarrador : dépensier
tacaño : avare
aprovechado : profiteur
sincero : sincère

mentiroso : menteur
hipócrita : hypocrite

hablador : bavard
callado : silencieux
tímido : timide
huraño : asocial

tranquilo : calme
nervioso : nerveux
irascible : colérique
divertido : drôle
despistado : étourdi

comportarse : se comporter
tranquilizarse : se calmer

preocuparse : s'inquiéter
aburrirse : s'ennuyer
deprimirse : déprimer

UN PEU DE CONVERSATION

- Pepe tiene mucho sentido del humor, aunque no lo parezca.
  Pepe a un grand sens de l'humour, même s'il n'en a pas l'air.

- Siempre anda bromeando, pero no a todo el mundo le hacen gracia sus bromitas.
  Elle blague constamment, mais tout le monde n'apprécie pas ses plaisanteries.

- ¡Qué tímido es! Todo le da vergüenza.
  Qu'il est timide ! Tout le fait rougir.

- Conozco pocas personas tan dulces y bondadosas como ella.
  Je connais peu de personnes aussi douces et bonnes qu'elle.

- Ese tío es un borde. No le trago.
  Ce type est très antipathique. Je ne peux pas le sentir.

2 La famille

VOUS LES CONNAISSEZ. SAVEZ-VOUS LES PRONONCER ?

la familia ❖ la maternidad ❖ una semana ❖ una época ❖ la Historia ❖ el presente ❖ la Antigüedad ❖ adoptivo ❖ divorciado ❖ adolescente ❖ adulto ❖ moderno

LA STRUCTURE FAMILIALE

un pariente : un parent
el padre : le père
la madre : la mère
los padres : les parents
la mujer : la femme
el marido : le mari
un hijo : un fils
una hija : une fille
el hermano : le frère
la hermana : la sœur

el abuelo : le grand-père
la abuela : la grand-mère
un nieto : un petit-fils
una nieta : une petite-fille

un tío : un oncle
una tía : une tante

un sobrino : un neveu
una sobrina : une nièce

un primo : un cousin
una prima : une cousine

la familia política : la belle-famille
la suegra : la belle-mère
el yerno : le beau-fils
la nuera : la belle-fille
el cuñado : le beau-frère

soltero : célibataire
recién casados : jeunes mariés

casarse : se marier
ir de boda : aller à un mariage
tener hijos : avoir des enfants
quedarse viudo : devenir veuf

UN PEU DE CONVERSATION

- En total somos cinco hermanos: dos chicas y tres chicos.
  Nous sommes cinq frères et sœurs au total : deux filles et trois garçons.

- El mes que viene vamos de boda. Se casa mi sobrina.
  Le mois prochain, on va à un mariage. Ma nièce se marie.

- Mis tíos van a hacer 50 años de casados en mayo.
  Mon oncle et ma tante vont fêter leur 50e année de mariage au mois de mai.

LA FAMILLE RECOMPOSÉE

una familia monoparental : une famille monoparentale

la ex mujer : l'ex-femme
el ex marido : l'ex-mari
la custodia de los hijos : la garde des enfants
la custodia compartida : la garde partagée
la pensión alimenticia : la pension alimentaire

reñir (con alguien) : se disputer (avec qqn)
romper (con alguien) : rompre (avec qqn)
separarse (de alguien) : se séparer (de qqn)
divorciarse (de alguien) : divorcer (de qqn)
volverse a casar (con alguien) : se remarier (avec qqn)

UN PEU DE CONVERSATION

- Los dos mayores son los hijos de mi primer matrimonio, y la pequeña del último.
  Les deux aînés sont nés de mon premier mariage, la cadette du dernier.

- Se divorciaron de mutuo acuerdo y tienen la custodia compartida de la niña.
  Ils ont divorcé par consentement mutuel et ils ont la garde partagée de leur fille.

- Estuvieron diez años de novios hasta que se casaron y al año se divorciaron.
  Ils sont restés fiancés pendant dix ans avant de se marier, puis ils ont divorcé un an plus tard.

LES ÂGES DE LA VIE

un embarazo : une grossesse
el nacimiento : la naissance
un recién nacido : un nouveau-né
un niño : un enfant
la edad : l'âge
el cumpleaños : l'anniversaire
un menor (de edad) : un mineur
un adulto : un adulte
una persona mayor : une personne âgée
la tercera edad : le troisième âge
la vejez : la vieillesse
la muerte : la mort

el cementerio : le cimetière

infantil : enfantin
joven : jeune
jovencísimo : très jeune
viejo : vieux
anciano : âgé

nacer : naître
alcanzar la mayoría de edad : atteindre la majorité
envejecer : vieillir
rejuvenecer : rajeunir
morir : mourir
enterrar : enterrer

LE TEMPS QUI PASSE

el tiempo : le temps
un año : une année
un mes : un mois
un día : un jour
una década : une décennie
un siglo : un siècle

el pasado : le passé
el futuro : le futur

la Antigüedad : l'Antiquité
la Edad Media : le Moyen Âge
el Renacimiento : la Renaissance

antiguo : ancien
anticuado : à l'ancienne, démodé
contemporáneo : contemporain
moderno : moderne

pasar : passer [en parlant du temps]
retrasarse, demorarse : être en retard
llegar con antelación : arriver en avance
aplazar : ajourner
adelantar : avancer

UN PEU DE CONVERSATION

- ¡Qué ricura de niño! ¿Qué tiempo tiene?
  Qu'il est mignon, cet enfant! Quel âge a-t-il?

- A dormir, chiquitín.
  Fais dodo, mon chéri.

- No sé qué le pasa a María, debe ser que está en la edad del pavo.
  Je ne sais pas ce qui arrive à María, c'est peut-être l'âge ingrat.

- En el trabajo, casi todos mis compañeros rondan los cuarenta.
  Au travail, presque tous mes collègues ont la quarantaine.

- No aparentas los años que tienes, y no lo digo por cumplir.
  Tu ne fais pas ton âge, et je ne dis pas ça pour te flatter.

- ¿Cuándo es tu cumpleaños? —El diez de febrero.
  C'est quand, ton anniversaire? – Le dix février.

- Cuando me muera, quiero que me incineren y que echen mis cenizas al mar.
  Quand je mourrai, je veux qu'on m'incinère et qu'on jette mes cendres dans la mer.

3 Le corps

LES PARTIES DU CORPS

el cuerpo : le corps
la piel : la peau
la tez : le teint
una arruga : une ride

la cabeza : la tête
la cara : le visage
el pelo : les cheveux
los ojos : les yeux
la boca : la bouche
los oídos : les oreilles
la nariz : le nez

el pecho : la poitrine
los pechos : les seins
la cintura : la taille
la tripa, el vientre : le ventre
el sexo : le sexe

la espalda : le dos
el trasero : les fesses

los brazos : les bras
la muñeca : le poignet
los dedos : les doigts

las piernas : les jambes
el muslo : la cuisse
la pantorrilla : le mollet
el tobillo : la cheville

ver : voir
mirar : regarder
oír : entendre
escuchar : écouter
tocar : toucher
acariciar : caresser
oler : sentir [odorat]

▸ L'ASPECT PHYSIQUE P. 157

LES MOUVEMENTS

andar, caminar : marcher
correr : courir
saltar : sauter
caer(se) : tomber

levantarse : se lever
pararse [Amér.] : se mettre debout

sentarse : s'asseoir
ponerse de rodillas : se mettre
à genoux
tumbarse : s'allonger
acostarse : se coucher

UN PEU DE CONVERSATION

- ¡Qué mala cara tienes! ¿No te encuentras bien?
  Tu as très mauvaise mine ! Est-ce que ça va ?

- Enseguida se pone morena.
  Elle bronze très vite.

- Me torcí un tobillo bajando las escaleras.
  Je me suis tordu la cheville en descendant les escaliers.

- ¿Me puedes echar una mano?
  Peux-tu me donner un coup de main?

- ¡A levantarse! Ya son las diez de la mañana.
  Lève-toi! Il est déjà dix heures du matin!

- ¡Venga, mueve la cintura!
  Allez, danse!

LES SOINS QUOTIDIENS

el cepillo de dientes : la brosse à dents

la pasta de dientes : le dentifrice

el peine : le peigne

el jabón : le savon

la toalla : la serviette

el albornoz : le peignoir

el secador : le sèche-cheveux

un pintalabios : un rouge à lèvres

ducharse, darse una ducha : prendre une douche

lavarse las manos : se laver les mains

lavarse los dientes : se brosser les dents

peinarse : se peigner

pintarse : se maquiller

depilarse : s'épiler

afeitarse : se raser

UN PEU DE CONVERSATION

- No salgas a la calle con el pelo húmedo, tengo secador.
  Ne sors pas avec les cheveux mouillés, j'ai un sèche-cheveux.

- Voy a echar a lavar las toallas. Coge una limpia del armario de detrás de la puerta.
  Je vais mettre à laver les serviettes. Prends-en une propre dans le placard derrière la porte.

- ¡Enciende el calentador! El agua de la ducha sale helada.
  Allume le chauffe-eau! L'eau de la douche est gelée.

- Mira, he cambiado de esmalte de uñas. ¿Te gusta?
  Regarde, j'ai changé de vernis à ongles. Ça te plaît?

(4) Sentiments et émotions

L'AMOUR, L'AMITIÉ, LA HAINE

el amor : l'amour
el odio : la haine
la ternura : la tendresse
el afecto : l'affection
la amistad : l'amitié

el novio : le petit ami, le fiancé
el amante : l'amant
un amigo : un ami
un enemigo : un ennemi

un flechazo : un coup de foudre
una cita : un rendez-vous

la desconfianza : la méfiance
el desprecio : le mépris
los celos : la jalousie

enamorado : amoureux
amistoso : amical
cariñoso : affectueux
celoso : jaloux

enamorarse : tomber amoureux
querer a alguien : aimer qqn
llevarse bien con alguien : bien s'entendre avec qqn
odiar : haïr

salir con alguien : sortir avec qqn
romper, cortar : rompre

desear : désirer
hacer el amor : faire l'amour

UN PEU DE CONVERSATION

- Me encanta ese chico, tiene una mirada que te vuelve loca.
  J'adore ce garçon, il a un regard à te rendre folle.

- Mis abuelos se dieron su primera cita en este café.
  Mes grands-parents se sont donné leur premier rendez-vous dans ce café.

- ¡Cariño, cuánto te echo de menos!
  Mon chéri, tu me manques tellement !

- Cortaron hace ya dos meses pero ella le sigue llamando.
  Ils ont rompu il y a deux mois déjà mais elle l'appelle toujours.

● No pienses más en ella, te puedes echar unas novias estupendas por internet.
Ne pense plus à elle, tu peux trouver des supercopines sur Internet.

LA JOIE, LE SOULAGEMENT, LA TRISTESSE

la felicidad : le bonheur
la alegría : la joie
el placer : le plaisir
el alivio : le soulagement
el desaliento : le découragement
el hastío : la lassitude
el asco : le dégoût
el cansancio : la fatigue
el dolor : la douleur

feliz : heureux
contento [avec estar] : content
satisfecho [avec estar] : satisfait

aliviado [avec estar] : soulagé
emocionante : excitant
conmovedor : émouvant
encantador : charmant
herido [avec estar] : blessé
apenado [avec estar] : attristé
infeliz, desgraciado [avec ser] : malheureux

conmoverse : s'émouvoir
alegrar(se) : se réjouir
entristecer(se) : s'attrister
cansar(se) : se fatiguer

LA SURPRISE, LA COLÈRE

el estupor : la stupeur
la rabia : la rage

sorprendido [avec estar] : surpris
intrigado [avec estar] : intrigué
boquiabierto [avec estar] : bouche bée
abrumado [avec estar] : abasourdi
enfadado [avec estar] : fâché
bravo [Amér.] [avec estar] : fâché
enfurecido [avec estar] : en colère

asombroso [avec ser] : étonnant
inesperado [avec ser] : inattendu
increíble [avec ser] : incroyable
desesperante [avec ser] : exaspérant
escandaloso [avec ser] : scandaleux
chocante [avec ser] : choquant

ponerse nervioso : s'énerver
disgustar(se) : être contrarié
enojar(se) [Amér.] : se fâcher

LA PEUR, L'ANGOISSE, LE STRESS

la angustia : l'angoisse
la ansiedad : l'anxiété
el miedo : la peur

aterrado [avec estar] : épouvanté
horripilante [avec ser] : épouvantable
trastornado [avec estar] : perturbé

intranquilo : inquiet
preocupado [avec estar] : soucieux
tenso : tendu
crispado [avec estar] : crispé

temer : craindre
asustar : faire peur
aterrorizar : terrifier

- Nos ha alegrado mucho verte, tienes que venir más a menudo.
  Ça nous a fait grand plaisir de te voir, tu devrais venir plus souvent.

- Lo siento mucho.
  Je suis vraiment désolé.

- El asombro no le dejaba hablar.
  L'étonnement l'empêchait de parler.

- Me da rabia haberme perdido tu visita.
  Ça m'énerve d'avoir raté ta visite.

- Esa forma de comportamiento me da asco.
  Ce genre de conduite me dégoûte.

- ¡Qué susto me has dado! Mira cómo tiemblo.
  Tu m'as fait peur! Regarde, je tremble.

- Cuando oyó la explosión, le entró un ataque de pánico.
  Quand elle a entendu l'explosion, elle a paniqué.

5 Pensée, opinion, croyance

LA PENSÉE, L'IMAGINATION, LA MÉMOIRE

el pensamiento : la pensée
la mente : l'esprit
la conciencia : la conscience
el saber : le savoir
el sentido común : le bon sens
la inteligencia : l'intelligence
la estupidez : la stupidité

imaginativo : imaginatif
sabio : savant

ignorante : ignorant
tonto : bête

reflexionar : réfléchir
deducir : déduire
darse cuenta de : se rendre
compte de
imaginar : imaginer
adivinar : deviner

L'OPINION, LA CONVICTION

un razonamiento : un
raisonnement
un punto de vista : un point de vue
una convicción : une conviction
un prejuicio : un préjugé

una discusión : une discussion,
une dispute
un argumento : un argument
una conclusión : une conclusion

razonable : raisonnable
sólido : solide
débil : faible
dudoso : douteux

opinar (sobre algo) : donner son
avis (sur qqch.)
convencer : convaincre

estar de acuerdo (con alguien) :
être d'accord (avec qqn)
estar a favor de algo : être pour
qqch.
estar en contra de algo : être
contre qqch.
disentir (con alguien) : être en
désaccord (avec qqn)
discutir (con alguien) : se disputer
(avec qqn)

tener razón : avoir raison
estar seguro de : être sûr de
dudar de : douter

acordarse de : se souvenir
recordar : se rappeler
olvidar : oublier

- Te voy a tener que dar la razón.
  Je vais être obligé de te donner raison.

- Hemos pesado bien los pros y los contras.
  Nous avons bien pesé le pour et le contre.

- Déjame pensarlo y te llamo con lo que sea.
  Laisse-moi réfléchir et je t'appelle pour te donner ma réponse.

- Seguro que ya te has enterado, ¿me equivoco?
  Je suis sûr que tu es déjà au courant, ou je me trompe ?

LA CROYANCE, LA FOI

una creencia : une croyance
la fe : la foi

la brujería : la sorcellerie
un sortilegio : un sort
el mal de ojo : le mauvais œil

el judaísmo : le judaïsme
el cristianismo : le christianisme
el islam : l'islam

un rabino : un rabbin
un cura : un curé
un imán : un imam
un sacerdote : un prêtre

una sinagoga : une synagogue
una iglesia : une église
una mezquita : une mosquée

la Biblia : la Bible
el Corán : le Coran

el pecado : le péché
el cielo : le paradis
el infierno : l'enfer

la Pascua judía : la Pâque juive
Janucá : Hanouka
Semana Santa : Pâques
Pentecostés : la Pentecôte
el Ramadán : le Ramadan
la fiesta del Cordero : l'Aïd-el-Kébir

creyente : croyant
beato : bigot
laico : laïque
ateo : athée

creer en : croire en
rezar : prier
convertirse a : se convertir à
hechizar : jeter un sort

- En la España de hoy existe la libertad de cultos.
  En Espagne, aujourd'hui, la liberté religieuse existe.

- ¡Dios mío! ¡Qué desastre!
  Mon Dieu ! Quelle catastrophe !

- Me sentía en la gloria.
  J'étais aux anges.

6 La cuisine et les repas

VOUS LES CONNAISSEZ. SAVEZ-VOUS LES PRONONCER ?

los cereales ❖ el maíz ❖ una fresa ❖ un tomate ❖ una patata ❖ la fruta
❖ el chorizo ❖ las gambas ❖ el papel de aluminio

LES ALIMENTS DE BASE

la harina : la farine
el pan : le pain
el arroz : le riz
el aceite de oliva : l'huile d'olive
el azúcar : le sucre

la leche : le lait
la mantequilla : le beurre
el queso : le fromage
los huevos : les œufs

LES FRUITS ET LÉGUMES

una naranja : une orange
un limón : un citron
un pomelo : un pamplemousse

un plátano : une banane
un melocotón : une pêche
un albaricoque : un abricot
una ciruela : une prune
un racimo de uvas : une grappe
de raisin
las frambuesas : les framboises

la(s) verdura(s) : les légumes
un calabacín : une courgette
un pimiento : un poivron
una berenjena : une aubergine
un tomate : une tomate
un aguacate : un avocat
una lechuga : une laitue

una cebolla : un oignon
un (diente de) ajo : une gousse
d'ail

las acelgas : les blettes
las espinacas : les épinards
un puerro : un poireau
el apio : le céléri
la coliflor : le chou-fleur
los guisantes, las arvejas [Amér.] :
les petits pois

las legumbres : les légumes secs
las lentejas : les lentilles
los garbanzos : les pois chiches
las judías, los frijoles [Amér.] :
les haricots

maduro : mûr
verde : vert

LES CONDIMENTS

las especias : les épices

la sal : le sel
la pimienta : le poivre
el comino : le cumin
el azafrán : le safran

la guindilla, el chile [Mex.] :
le piment
el tomillo : le thym
el laurel : le laurier
el romero : le romarin
las finas hierbas : les fines herbes

LA VIANDE, LE POISSON, LES COQUILLAGES

la carne : la viande
la carne de vaca / de cerdo :
du bœuf / du porc
la carne de cordero / de pollo :
de l'agneau / du poulet

un asado : un rôti
un filete : un steak
una chuleta : une côtelette
una salchicha : une saucisse
un pincho moruno : une brochette

el fiambre, el embutido :
la charcuterie
el salchichón : le saucisson
el jamón serrano : le jambon
de montagne

el pescado : le poisson
la lubina : le bar
el atún : le thon
la merluza : le colin
el bacalao seco : la morue
el bacalao fresco : le cabillaud

los mariscos : les fruits de mer
una gamba : une crevette
un langostino : une grosse crevette
una cigala : une langoustine
un mejillón : une moule
los chipirones : les encornets

UN PEU DE CONVERSATION

- El Ministerio de Sanidad aconseja comer cinco frutas y verduras al día.
  Le ministère de la Santé conseille de manger cinq fruits et légumes par jour.

- En este mercado el marisco es muy fresco.
  Dans ce marché, les fruits de mer sont très frais.

- ¿Me pone un kilo de tomates y medio de zanahorias?
  Je voudrais un kilo de tomates et une livre de carottes.

- El carnicero me ha troceado el pollo.
  Le boucher m'a coupé le poulet en morceaux.

- —¿Queda pescado? —Debe haber un poco de merluza, mira en el congelador.
  Il reste du poisson? – Il doit y avoir un peu de colin, regarde dans le congélateur.

LA CUISINE

una fuente : un plat
un cuenco : un bol

un cazo : une louche
una escurridera : une passoire

una sartén : une poêle
una cacerola : une casserole
una tapadera : un couvercle

un sacacorchos : un tire-bouchon
un abrelatas : un ouvre-boîtes
un trapo : un torchon

rebozado : pané
dorado : rissolé
tostado : grillé [pain]
crudo : cru, pas assez cuit
pegado : collé
quemado : brûlé

caliente : chaud
templado : tiède
fresco : frais
frío : froid

cocinar : cuisiner
pelar : éplucher
cortar : couper
rallar : râper
picar : hacher
mezclar : mélanger
batir : battre

cocer : cuire
hervir : bouillir
asar : rôtir
freír : frire
(re)calentar : (ré)chauffer

LES REPAS

los cubiertos : les couverts
un cuchillo : un couteau
un tenedor : une fourchette
una cuchara : une cuillère
una cucharilla : une petite cuillère

un plato : une assiette
un vaso : un verre
una copa : un verre à pied

una servilleta : une serviette
el mantel : la nappe

un desayuno : un petit-déjeuner
una comida : un repas, un déjeuner

una merienda : un goûter,
un repas [Amér.]
una cena : un dîner

poner la mesa : mettre la table
quitar la mesa : débarrasser
servirse : se servir
repetir : se resservir

desayunar : prendre un petit
déjeuner
comer : manger, déjeuner
cenar : dîner

► AU RESTAURANT P. 199

UN PEU DE CONVERSATION

- Pon a hervir el agua y ve echando los tomates uno a uno.
  Fais bouillir de l'eau et plonge dedans les tomates une par une.

- ¡Por hablar por teléfono se me ha pegado el arroz!
  Je parlais au téléphone et voilà, maintenant le riz est tout collé !

- Se te ha ido la mano con la sal.
  Tu as eu la main lourde avec le sel.
- ¿Quieres probar estos pimientos rellenos de bacalao?
  Tu veux goûter ces poivrons farcis à la morue ?
- Algunos grandes cocineros españoles han alcanzado renombre internacional.
  Certains grands chefs espagnols ont gagné une réputation internationale.
- Solo le gustan los huevos fritos con patatas.
  Il n'aime que les œufs au plat avec des frites.

7 La maison

VOUS LES CONNAISSEZ. SAVEZ-VOUS LES PRONONCER ?

un propietario ✦ el garaje ✦ el salón ✦ el balcón ✦ la terraza ✦ un sofá
✦ una cómoda ✦ una moqueta ✦ un lavabo ✦ un váter ✦ liso
✦ profundo ✦ claro ✦ oscuro ✦ blanco ✦ construir ✦ decorar

LES TYPES D'HABITATION

una casa : une maison
un apartamento,
un departamento [Amér.] :
un appartement
un piso : un appartement, un étage

el sótano : le sous-sol
el trastero : la cave
un bajo : un appartement
au rez-de-chaussée
el primero, el primer piso :
le premier étage
el altillo : la mezzanine
un ático : un appartement
au dernier étage
el desván : le grenier
el tejado : le toit

una agencia immobiliaria :
une agence immobilière
el contrato de compra-venta :
le contrat de vente
el inventario : l'état des lieux

un inquilino : un iocataire
el propietario : le propriétaire
una señal : un acompte
el alquiler : le loyer

alquilar : louer
comprar : acheter
hacer obra : faire (faire) des travaux
arreglar : (faire) réparer
mudarse : déménager
instalarse : emménager

UN PEU DE CONVERSATION

- El precio del metro cuadrado en Barcelona ha subido
  un diez por ciento este año.
  Le prix du mètre carré à Barcelone a augmenté de 10 %
  cette année.

- Se vende piso céntrico, tercero exterior,
  cuatro dormitorios, buen estado.
  Vend appartement dans centre ville, troisième étage sur rue,
  quatre chambres, bon état.

- He visto un anuncio de un piso en venta en tu barrio,
  ¿me acompañas a visitarlo?
  J'ai vu une annonce d'appartement à vendre dans ton quartier.
  Tu viens avec moi le visiter ?

- ¿Cuánto pide de alquiler mensual? ¿Están incluidos los gastos?

  Quel est le loyer mensuel? Est-ce que les charges sont comprises?

- El camión de la mudanza llega mañana a las siete en punto de la mañana.

  Le camion de déménagement sera là demain pile à sept heures du matin.

- Me han llegado las facturas del gas, de la luz y del teléfono.

  J'ai reçu les factures du gaz, de l'électricité et du téléphone.

LES PIÈCES

el hogar : le foyer
mi casa : chez moi

la sala de estar : le séjour
el comedor : la salle à manger
un dormitorio : une chambre
la cocina : la cuisine
el cuarto de baño : la salle de bains

la puerta : la porte
la ventana : la fenêtre
los cristales : les carreaux
el techo : le plafond
el suelo : le sol

la calefacción : le chauffage
los radiadores : les radiateurs

L'AMEUBLEMENT

un sillón : un fauteuil
una alfombra : un tapis
una librería : une bibliothèque
una estantería : une étagère

una cama : un lit
un colchón : un matelas
una almohada : un oreiller
las sábanas : les draps
una manta, una frazada [Amér.] : une couverture

una mesilla de noche : une table de chevet
un armario ropero : un placard

un cajón : un tiroir

una cortina : un rideau
un visillo : un voilage

una bañera : une baignoire
una ducha : une douche
un váter : des WC, des toilettes
un toallero : un porte-serviettes
una lámpara : une lampe, un lampadaire
un flexo : une lampe de bureau
un enchufe : une prise de courant
una bombilla : une ampoule

acogedor : douillet
amplio : spacieux
impoluto : parfaitement propre
sucio : sale
desordenado : en désordre

amueblar : meubler
empapelar : tapisser

limpiar : nettoyer
pasar el aspirador : passer
l'aspirateur
fregar : laver [vaisselle]
lavar : laver [linge]
planchar : repasser

L'ÉLECTROMÉNAGER

una nevera : un frigidaire
un congelador : un congélateur
un horno : un four
un microondas : un four à
micro-ondes

una cocina : une cuisinière
un lavavajillas, un lavaplatos :
un lave-vaisselle
una lavadora : un lave-linge
un aspirador : un aspirateur

UN PEU DE CONVERSATION

- Espérame en casa.
  Attends-moi à la maison.

- Nuestro dormitorio da a una calle muy tranquila,
  sin tráfico.
  Notre chambre donne sur une rue très calme, sans circulation.

- Estas sábanas eran de mi abuela, están bordadas
  a mano.
  Ces draps appartenaient à ma grand-mère, ils sont brodés
  à la main.

- Hay que cambiar la bombilla del cuarto de baño,
  no hay luz.
  Il faut changer l'ampoule de la salle de bains, il n'y a pas
  de lumière.

- Acaba de contratar a una señora de la limpieza.
  Elle vient d'embaucher une femme de ménage.

- ¿El baño, por favor?
  Où sont les toilettes, s'il vous plaît?

- No te olvides de comprar el detergente
  de la lavadora y el papel higiénico.
  N'oublie pas d'acheter de la lessive et du papier toilette.

FORMES, MATIÈRES, COULEURS

la altura : la hauteur
el largo : la longueur
el ancho : la largeur
la profundidad : la profondeur
el peso : le poids

la punta : la pointe
el borde : le bord

el hierro : le fer
el acero : l'acier
la piedra : la pierre
el mármol : le marbre
la madera : le bois
el cemento : le béton
el cristal : le verre

cuadrado : carré
redondo : rond
triangular : triangulaire
recto : droit

espeso : épais
suave : doux

blando : mou
duro : dur
rugoso : rugueux
ligero : léger
profundo : profond

de colores : en couleurs
rojo : rouge
amarillo : jaune
azul : bleu
verde : vert
marrón : brun
rosa : rose
naranja : orange
negro, prieto [Amér.] : noir
blanco : blanc

claro : clair
oscuro : sombre

medir : mesurer
pesar : peser
pintar : peindre

UN PEU DE CONVERSATION

- La fachada trasera de nuestra casa es de cristal
  y hierro, la diseñó un arquitecto.
  La façade arrière de notre maison est en verre et en fer, elle a été
  dessinée par un architecte.

- Mide bien el alto y el largo de la estantería antes
  de comprarla.
  Mesure bien la hauteur et la longueur de l'étagère avant
  de l'acheter.

- Han pintado las paredes del salón de un rojo
  muy vivo.
  Ils ont peint les murs de leur salon en rouge très vif.

LES TYPES DE MAGASINS

un gran almacén : un grand magasin
las tiendas : les magasins
un (super)mercado : un (super) marché
el rastro : les puces
una boutique : un magasin de vêtements
una zapatería : un magasin de chaussures

el tinte, la tintorería : le pressing
una lavandería : une laverie automatique

una sección : un rayon
un vendedor : un vendeur
un producto : un produit
un descuento : un rabais
las rebajas : les soldes

ir de compras : faire les magasins
ir a la compra : faire les courses

UN PEU DE CONVERSATION

- Guarde bien el tique de compra si piensa hacer algún cambio.
  Gardez bien le ticket de caisse si vous pensez faire un échange.

- Ve a coger un carro, que tenemos que hacer mucha compra.
  Va prendre un chariot, on doit faire de gros achats.

- Las cajas están a tope, ¿vamos a la caja automática?
  Les caisses sont prises d'assaut, on passe à la caisse automatique?

- La sección de productos bio está justo a la entrada del supermercado.
  Le rayon des produits bio est juste à l'entrée du supermarché.

- ¿Te vienes de rebajas conmigo?
  Tu viens faire les soldes avec moi?

LES VÊTEMENTS

la ropa : les vêtements
un abrigo : un manteau
una chaqueta, un saco [Amér.] :
une veste
una falda, una pollera [Amér.] : une
jupe
un vestido : une robe
un pantalón, unos pantalones : un
pantalon
unos vaqueros : un jean
un traje : un costume
una camisa : une chemise
un jersey : un pull

una corbata : une cravate
una bufanda : une écharpe
un cinturón : une ceinture

los zapatos : les chaussures
unas zapatillas : des chaussons
unas zapatillas de deporte :
des baskets
unas sandalias : des sandales
unas chanclas, unas chancletas :
des tongs

la ropa interior : le linge de corps
unos calzoncillos : un caleçon,
un slip [homme]

unas bragas : une culotte [femme]
un sujetador, un sostén : un
soutien-gorge
los calcetines : les chaussettes
las medias : les collants
un bañador, une traje de baño
[Amér.] : un maillot de bain

elegante : élégant
a la última : branché
bien / mal vestido : bien / mal
habillé
pasado : démodé
hortera : de mauvais goût
descuidado : débraillé

amplio : ample
ancho : large
estrecho : serré
ceñido : moulant

(zapatos) planos / de tacón :
(chaussures) plates / à talon

vestirse, alistarse [Amér.] : s'habiller
desnudarse : se déshabiller
(des)calzarse : se (dé)chausser
probar : essayer
sentar bien / mal : aller bien / mal

UN PEU DE CONVERSATION

- Ahí está el probador.
  Voilà la cabine d'essayage.

- ¿Qué talla usa?
  Quelle est votre taille ?

- Ese pantalón no te sienta bien, pruébate la falda.
  Ce pantalon ne te va pas bien, essaye la jupe.

- ¿Por cuánto sale el traje azul marino
  con el descuento?
  Quel est le prix du costume bleu marine avec la remise ?

- ¡Me está enorme! ¿No queda otra talla más pequeña?
  C'est trop grand pour moi ! Avez-vous une taille plus petite ?

9 La ville

el asfalto ✧ el centro ✧ una avenida ✧ una plaza ✧ un jardín ✧
un túnel ✧ un taxi ✧ una escalera mecánica

LA RUE

la ciudad : la ville
el casco histórico : le centre historique
la zona monumental : les sites touristiques
las afueras : la banlieue

la calle : la rue
la acera : le trottoir
el bordillo : la bordure [trottoir]
el alumbrado : l'éclairage
una farola : un réverbère
una boca de riego : une prise d'eau
el alcantarillado : les égouts
un cartel : une affiche
un anuncio : un panneau publicitaire
un barrendero : un balayeur
un basurero : un éboueur

un barrio : un quartier
una manzana : un pâté de maisons
un edificio : un immeuble
el portal : l'entrée [d'immeuble]

el portero : le gardien

un parque : un parc
una fuente : une fontaine
el césped : la pelouse
un columpio : une balançoire
una papelera : une poubelle
un jardinero : un jardinier
un paseante : un promeneur

ruidoso : bruyant
tranquilo : calme
animado : vivant
luminoso : clair
oscuro : sombre
bien / mal comunicado : bien / mal desservi

cruzarse con alguien : croiser qqn
perderse : se perdre
consultar un mapa : regarder un plan
preguntar : demander [renseignements]
pasear : se promener

LES SERVICES

el ayuntamiento : la mairie
la oficina de Hacienda : le centre des impôts
la comisaría : le commissariat
una oficina de Correos : un bureau de poste
el cartero : le facteur

los bomberos : les pompiers
un banco : une banque
un cajero automático : un distributeur automatique

hacer cola : faire la queue
pedir la vez : demander son tour
sacar dinero : retirer de l'argent

▶ LES COURSES P. 177

179

LES TRANSPORTS

una boca de metro : une bouche de métro
una estación de tren : une gare
una parada de autobús : un arrêt de bus
una marquesina : un abribus

un conductor : un chauffeur
un peatón : un piéton
un paso de cebra : un passage pour piétons
una zona peatonal : une zone piétonne
el semáforo : le feu tricolore

un atasco : un bouchon
una glorieta, una rotonda : un rond-point
un cruce : un carrefour
la hora punta : l'heure de pointe

conducir : conduire
coger el metro, el autobús : prendre le métro, le bus
hacer transbordo : prendre une correspondance
parar un taxi : appeler un taxi
comunicar : desservir

► LES VOYAGES ET LES SORTIES P. 196

UN PEU DE CONVERSATION

- Vivimos enfrente del Parque del Retiro.
  Nous habitons en face du parc du Retiro.

- ¿Te vienes a dar una vuelta por el centro?
  Tu viens faire un tour au centre-ville ?

- El alcalde ha aprobado el nuevo plan urbanístico.
  Le maire a approuvé le nouveau projet urbanistique.

- Para Hacienda, tiene que cruzar la calle y coger la primera a la derecha.
  Pour aller au centre des impôts, vous devez traverser la rue et prendre la première à droite.

- Vivimos en las afueras, pero estamos a veinte minutos del centro en tren de cercanías.
  Nous habitons en banlieue, mais nous sommes à vingt minutes du centre-ville par le train.

- En Barcelona hay un servicio de transporte público en bicicleta y cada vez hay más carriles bici.
  À Barcelone, il y a un service de transport public à vélo et il y a de plus en plus de pistes cyclables.

- Me encanta tu barrio: es el que más ambiente tiene de la ciudad.
  J'adore ton quartier : c'est le plus animé de toute la ville.

el teléfono ❖ una cabina telefónica ❖ el número telefónico ❖ el teléfono móvil ❖ el destinatario ❖ un portal ❖ un correo electrónico ❖ un CD ❖ un DVD ❖ un disco duro externo ❖ una llave USB ❖ un (anti)virus ❖ urgente ❖ telefonear ❖ copiar ❖ imprimir

LE TÉLÉPHONE

la señal : le signal
la línea : la ligne
el prefijo internacional : l'indicatif international
una llamada de larga distancia : un appel international
una llamada de corta distancia : un appel local

la guía telefónica : l'annuaire
las páginas amarillas : les pages jaunes

un teléfono público : une cabine téléphonique
un (teléfono) fijo : un téléphone fixe
un (teléfono) móvil : un portable

el saldo : le crédit
una tarjeta de prepago : une carte prépayée
el contestador automático : le répondeur

llamar (por teléfono) : appeler
pasar, dar una llamada : passer, faire un appel

descolgar : décrocher
marcar : composer
colgar : raccrocher
cortarse : couper

darse de alta : s'abonner
darse de baja : résilier un abonnement
recargar : recharger

UN PEU DE CONVERSATION

- —¿Diga? —¿Sí?
  Allô? – Oui?

- — Hola, buenas tardes. ¿Me pone con el Señor Martínez? De parte de Jesús Puente.
  Bonjour. Je pourrais parler à M. Martínez, s'il vous plaît? C'est de la part de Jesús Puente.

- —¿Puedo hablar con Julio? —Soy yo, ¿con quién hablo?
  Pouvez-vous me passer Julio? – C'est lui-même. Qui est à l'appareil?

- He llamado a Ana pero no contesta. Habrá salido.
  J'ai téléphoné à Ana mais elle ne répond pas. Elle est peut-être sortie.
- ¡Tu padre sigue comunicando! ¿Lo habrá dejado descolgado?
  Le téléphone de ton père sonne encore occupé! Il a peut-être mal raccroché?
- Se me está acabando la batería, se va a cortar.
  Je n'ai presque plus de batterie, ça va couper.
- El número marcado no existe.
  Le numéro que vous avez demandé n'est pas attribué.

ÉCRIRE UNE LETTRE

S'adresser à son correspondant

Informel	Formel
(Mi) querida Ana:	Apreciado señor:
¡Hola Anita!	Estimado señor:
¡Hola chicos!	Distinguido cliente:
	Muy señor mío / nuestro:

Commencer une lettre

Informel	Formel
¿Cómo estás?	Por la presente le informamos de que…
Te escribo desde mi despacho…	Tenemos el placer de comunicarle que…
Llevo siglos sin noticias tuyas…	Le escribo con motivo de…
Siento no haberte contestado antes pero…	Le agradecemos su carta del 3 de mayo…
Me dio mucha alegría tu carta…	En respuesta a su carta…

Terminer une lettre

Informel	Formel
Cuídate mucho	Agradeciéndole de antemano su respuesta…
Recuerdos a todos	Gracias por su interés
Contéstame pronto	Deseando haberle sido útil…

Formules de politesse

Informel	Formel
Te mando muchos saludos	En espera de sus noticias...
Un fuerte abrazo	Saludos cordiales
Muchos besos	Reciba un cordial saludo de
Besos y abrazos	Se despide atentamente
Besazos ou Besitos	Cordialmente le saluda

LE COURRIER POSTAL

Correos : la Poste
un buzón : une boîte aux lettres
el reparto : la distribution
el apartado de correos : la poste restante

una carta : une lettre
un paquete : un colis
un giro postal : un mandat postal
una postal : une carte postale
un correo certificado : une lettre recommandée
un acuse de recibo : un accusé de réception

un sobre : une enveloppe
un sello : un timbre

el remitente : l'expéditeur
la dirección : l'adresse
el código postal : le code postal

el membrete : l'en-tête
la despedida : les formules de politesse
la firma : la signature
la postdata : le post-scriptum

voluminoso : encombrant
registrado : enregistré
extraviado : égaré

franquear : affranchir
enviar : envoyer
recibir : recevoir
cartearse : correspondre

UN PEU DE CONVERSATION

- Las cartas certificadas se entregan en mano.
  Les lettres recommandées sont remises en mains propres.

- ¿Sabes a qué hora cierra Correos los sábados?
  Tu sais à quelle heure ferme la Poste le samedi ?

- Es tan despistado que echa las cartas al correo sin acordarse del sello.
  Il est si distrait qu'il poste les lettres sans penser à mettre un timbre.

- Le rogamos contestación a vuelta de correo.
  Nous vous prions de nous répondre par retour de courrier.

- Te agradezco de antemano tu respuesta. Un abrazo.
  Je te remercie par avance pour ta réponse. Je t'embrasse.

- En espera de sus noticias, le saluda muy
  atentamente, LPR.

  Dans l'attente de vos nouvelles, je vous prie d'agréer
  l'expression de mes salutations distinguées. LPR.

E-MAILS ET INTERNET

la red : la toile
un servidor : un serveur
una revista electrónica : une revue
électronique
una página web : une page web
un enlace : un lien
la dirección electrónica : l'adresse
e-mail

un ordenador, una computadora
[Amér.] : un ordinateur
la pantalla : l'écran
el teclado : le clavier
el ratón : la souris

un programa : un logiciel
un fichero adjunto : un fichier joint
una copia de seguridad : une copie
de sauvegarde

una llave USB, un pen : une clé
USB

(des)conectado [avec *estar*] :
(dé)connecté
encendido [avec *estar*] : allumé
apagado [avec *estar*] : éteint
infectado [avec *estar*] : infecté
estropeado [avec *estar*] : en panne

cortar : couper
pegar : coller
pinchar : cliquer
grabar : enregistrer

chatear : participer à un *chat*
poner en línea : mettre en ligne
navegar por internet : surfer
sur Internet
descargar : télécharger

UN PEU DE CONVERSATION

- Enciende el ordenador y conecta la impresora.
  Allume l'ordinateur et branche l'imprimante.

- Deberías actualizar tu antivirus.
  Tu devrais mettre à jour ton programme antivirus.

- Necesitas un nombre de usuario y una contraseña.
  Tu as besoin d'un nom d'usager et d'un mot de passe.

- Mi dirección electrónica es: eme hache arroba lana
  punto com
  Mon adresse e-mail est : mh@lana.com

- No lo vuelvas a escribir todo, haz un copia y pega.
  Ne ressaisis pas tout, fais un copier-coller.

LA PRESSE ÉCRITE

los medios (de comunicación) : les médias

un periódico, un diario : un journal

una revista : une revue

un número especial : un numéro hors série

un quiosco de prensa : un kiosque à journaux

la prensa del corazón : la presse *people*

la prensa amarilla : la presse à sensation

la portada : la couverture

los titulares : les gros titres

el editorial : l'éditorial

una columna : une rubrique

un anuncio : une petite annonce

un chiste gráfico : un dessin humoristique

la página de sucesos : la page des faits divers

la cartelera : la page des spectacles

una entrevista : une interview

una noticia : une information

una fuente : une source

una investigación : une enquête

un periodista, un reportero [Amér.] : un journaliste

un crítico de arte / de cine : un critique d'art / de cinéma

un dibujante : un dessinateur

semanal : hebdomadaire

sensacionalista : à scandale

acusador : accusateur

imparcial : neutre

citar : citer

entrevistar : faire une interview

UN PEU DE CONVERSATION

- Es una periodista muy famosa, tiene una columna de opinión en *El Mundo*.
  C'est une journaliste très célèbre, elle publie une chronique dans *El Mundo*.

- Cada edición regional de *El País* publica una sección con las actualidades locales.
  Chaque édition régionale de *El País* publie des pages d'actualités locales.

- —¿Has visto la prensa de hoy? —Sí, el huracán está en todas las portadas.

  As-tu vu la presse d'aujourd'hui ? – Oui, le cyclone fait la une de tous les journaux.

- En ese periódico solo son imparciales las crónicas deportivas, y no siempre.

  Dans ce journal, il n'y a que la rubrique des sports qui soit impartiale, et encore.

- —¿Te apetece que vayamos al cine? —Bueno, mira en la cartelera a ver qué dan hoy.

  Ça te dit d'aller au cinéma ? – D'accord, regarde dans la page des spectacles ce qui passe aujourd'hui.

- ¿Vas a la calle? ¿Me puedes comprar el periódico en el quiosco de la esquina?

  Tu sors ? Tu peux m'acheter le journal dans le kiosque au coin de la rue ?

- Con esos titulares seguro que han aumentado la tirada en varios miles de ejemplares.

  Avec ce genre de gros titres, c'est sûr qu'ils ont augmenté le tirage de plusieurs milliers d'exemplaires.

- Estamos abonados a una revista del corazón porque nos encantan los cotilleos.

  Nous sommes abonnés à une revue *people* parce qu'on adore les potins.

LA RADIO

una emisora de radio : une station de radio
un programa : une émission
un transistor : un poste de radio
el dial : la fréquence
las ondas : les ondes

un locutor : un journaliste radio
un radioyente, un radioescucha [Amér.] : un auditeur

las noticias, el noticiero [Amér.] : le bulletin d'information, les nouvelles

estar en el aire : être sur les ondes, avoir l'antenne
subir / bajar el sonido : augmenter / baisser le volume

UN PEU DE CONVERSATION

- La emisora que buscas está en el 97.2, en FM (frecuencia modulada).
  La station que tu cherches est sur 97.2 FM.

- ¡Sube la radio! Quisiera saber si hay atascos.
  Monte le volume de la radio! Je voudrais savoir s'il y a des bouchons.

- En la tertulia de esta mañana había cuatro invitados muy discutidores.
  Au débat de ce matin, il y avait quatre invités qui aimaient polémiquer.

- ¡Me encantó el grito del comentador deportivo cuando marcaron el gol!
  J'ai adoré le hurlement du commentateur sportif au moment du but!

- Hoy en internet puedes escuchar cualquier radio extranjera.
  Aujourd'hui sur Internet tu peux écouter n'importe quelle radio étrangère.

LA TÉLÉVISION

un canal, una cadena : une chaîne
una cadena de pago : une chaîne à péage
la televisión digital : la télévision numérique
un lector de DVD : un lecteur de DVD
una cinta de vídeo : une cassette vidéo
el mando a distancia : la télécommande

la programación : le programme
el telediario : le journal télévisé
un concurso : un jeu-concours
un culebrón, una novela [Amér.] : un feuilleton télévisé

un documental : un documentaire
una película : un film
un anuncio : un spot publicitaire

un televidente : un téléspectateur

entretenido : distrayant
en vivo : en direct
en diferido : en différé

mirar la tele : regarder la TV
estar pegado a la tele : rester collé devant la TV
cambiar de cadena : changer de chaîne
grabar : enregistrer
retransmitir : diffuser
redifundir : rediffuser

- ¡Vaya programita! ¿No echan nada más interesante esta noche?

  Quelle drôle d'émission ! Il n'y a rien de plus intéressant à la télé ce soir ?

- No cambies de cadena, empieza una serie muy buena que nunca me pierdo.

  Ne change pas de chaîne, maintenant commence une série très intéressante que je ne rate jamais.

- Es un canal autonómico, retransmite en euskera.

  C'est une chaîne régionale, le programme est en basque.

- Anuncios y más anuncios, ya no se puede ver una película entera sin cortes publicitarios.

  Une pub après l'autre ! On ne peut plus regarder un film en entier sans coupure publicitaire.

- A mi vecino le ha tocado la lotería y ha salido en la tele.

  Mon voisin a gagné au loto et il est passé à la télé.

- Cuando te acuestes, apaga la televisión y desenchúfala. Va a haber tormenta.

  Quand tu iras te coucher, éteins la télévision et débranche-la. Il va y avoir un orage.

12 Le sport et la santé

el estadio ❖ una pista de atletismo ❖ la piscina cubierta ❖ el tenis
❖ el fútbol ❖ un hospital ❖ una clínica ❖ una ambulancia
❖ una enfermera ❖ un ginecólogo ❖ un dentista ❖ la farmacia
❖ un analgésico ❖ el dolor ❖ un cáncer ❖ una diarrea ❖ una migraña
❖ el insomnio ❖ la tensión ❖ hacer footing ❖ cicatrizar ❖ tener fiebre

FAIRE DU SPORT

el deporte : le sport

un gimnasio : une salle de sports, un club de gymnastique

una pista de tenis : un court de tennis

una bicicleta estática : un vélo d'appartement

una pelota : une balle

un balón : un ballon

una clase de natación : un cours de natation

un largo : une longueur

el vestuario : le vestiaire

un bañador : un maillot de bain

deportista : sportif

ágil : agile

musculoso : musclé

flexible : souple

mantenerse en forma : garder la forme

hacer pesas : faire des haltères

montar en bici : faire du vélo

montar a caballo : monter à cheval

jugar al baloncesto : jouer au basket

meter un gol : marquer un but

encestar : marquer un panier

nadar a braza : nager la brasse

nadar a mariposa : nager la brasse papillon

UN PEU DE CONVERSATION

- Los médicos recomiendan practicar algún deporte a cualquier edad. ¿Tú prácticas alguno?
  Les médecins conseillent de faire du sport à tout âge. Tu en fais, toi?

- ¿Por qué no nos apuntamos a un gimnasio? Nos vendría muy bien.
  Pourquoi on ne s'inscrit pas à un club de gym? Ça nous ferait du bien.

- A mi hijo le encantan los deportes de equipo.
  Mon fils adore les sports d'équipe.

- ¡Hemos ganado el campeonato de balonmano!
  Nous avons gagné le championnat de handball !
- Después de dos horas de juego, han empatado.
  Après deux heures de jeu, ils ont fait match nul.

SE SOIGNER

la salud : la santé
la enfermedad : la maladie
el ambulatorio : le centre de santé
un consultorio : un cabinet de consultation
Urgencias : le service des urgences

el médico de cabecera : le médecin de famille
un oculista : un ophtalmologue
un cirujano : un chirurgien
el farmacéutico : le pharmacien
una receta : une ordonnance
las medicinas : les médicaments
las pastillas : les cachets
una vacuna : un vaccin
una inyección : une piqûre
una tirita : un pansement adhésif

una herida : une blessure
una quemadura : une brûlure
un resfriado, un constipado : un rhume

una gripe : une grippe
una caries : une carie
una migraña : une migraine

saludable : en bonne santé, bon pour la santé
enfermo : malade
enfermizo : maladif

cuidar la salud : entretenir sa santé
tener buena salud : avoir une bonne santé
toser : tousser
estornudar : éternuer
vomitar : vomir
sangrar : saigner
sentirse mal : se sentir mal
marearse : avoir la tête qui tourne
enfermar : tomber malade
acatarrarse : s'enrhumer
doler : faire mal
curar : soigner
sanar, curarse : guérir

UN PEU DE CONVERSATION

- Tenemos un ambulatorio justo enfrente de casa.
  Il y a un centre de santé juste en face de chez nous.
- ¿A qué horas pasa consulta el doctor Jiménez?
  Quels sont les horaires de consultation du docteur Jiménez ?
- Para ese medicamento necesita usted una receta.
  Pour ce médicament il vous faut une ordonnance.
- El médico le ha tomado el pulso y le ha medido la tensión. Todo era normal.
  Le médecin a pris son pouls et mesuré sa tension. Tout était normal.

un espectador ❖ la cámara ❖ los efectos especiales ❖ el montaje
❖ el público ❖ el guión ❖ un diálogo ❖ el decorado ❖ una ópera
❖ la música ❖ la melodía ❖ el ritmo ❖ un violín ❖ un pianista
❖ cinematográfico ❖ teatral ❖ trágico ❖ clásico ❖ cómico ❖ dramático
❖ melómano ❖ doblar ❖ interpretar ❖ representar ❖ restaurar

LE CINÉMA

el cine : le cinéma, la salle de cinéma
la pantalla : l'écran
las butacas : les sièges
la salida de emergencia : la sortie de secours

el productor : le producteur
el director : le réalisateur
el guionista : le scénariste
el guión : le scénario

los actores : les acteurs
un papel : un rôle
un extra : un figurant

una película : un film
un documental : un documentaire
un musical : une comédie musicale

la banda sonora : la bande-son
los subtítulos : les sous-titres
un primer plano : un plan rapproché
un primerísimo plano : un gros plan

el estreno : la première
un premio : un prix

mudo : muet
en blanco y negro : en noir et blanc
en color : en couleurs
galardonado : primé
de arte y ensayo : d'art et d'essai

enfocar : mettre au point
rodar : tourner
interpretar : jouer un rôle

UN PEU DE CONVERSATION

- En la filmoteca echan un ciclo de Arturo Ripstein, ya he sacado entradas para los dos.
  Il y a un cycle d'Arturo Ripstein à la cinémathèque, j'ai déjà pris des entrées pour tous les deux.

- ¿Cuál era el título de aquel musical americano que te gustaba tanto?
  Quel était le titre de cette comédie musicale américaine que tu aimais tant?

- Es una actriz con mucho talento, llegará lejos.
  C'est une actrice qui a beaucoup de talent, elle ira loin.

- El documental empieza con un plano general de la ciudad y del río.
  Le documentaire commence par un plan d'ensemble de la ville et du fleuve.

- Su primera película ganó tres Goyas y fue nominada para los Óscar en 2002.
  Son premier film a reçu trois Goyas [équivalent espagnol des Césars].
  Il a été nominé pour les oscars en 2002.

LE THÉÂTRE

el escenario : la scène
el telón : le rideau
el patio de butacas : le parterre
un palco : une loge
las bambalinas : les coulisses

un dramaturgo, un autor :
un auteur de théâtre
el director : le metteur en scène
una compañía : une troupe
la temporada : la saison

una obra de teatro : une pièce
una escena : une scène
el ensayo general : la générale

el vestuario : les costumes
la iluminación : l'éclairage

dramático : relatif au théâtre

componer : écrire une pièce
ensayar : répéter
estrenar : représenter
pour la 1re fois

UN PEU DE CONVERSATION

- Se abrió el telón al tiempo que se apagaron las luces.
  Le rideau s'est levé et en même temps les lumières se sont éteintes.

- Nuestro asiento está en el patio de butacas, tercera fila. Veremos muy bien el escenario.
  Notre place est au parterre, troisième rang. Nous verrons très bien la scène.

- Hay un descanso después del segundo acto.
  Il y a un entracte après le deuxième acte.

- No se admite la entrada al público tras el inicio de la representación.
  Le public ne sera pas admis après le début du spectacle.

● Tengo un amigo director de teatro y voy con
   frecuencia a los ensayos de sus espectáculos.
   J'ai un ami metteur en scène et je vais souvent aux répétitions
   de ses spectacles.

LA MUSIQUE

un concierto : un concert
un compositor : un compositeur
un director de orquesta : un chef
d'orchestre
un músico : un musicien
un solista : un soliste
un cantante : un chanteur

un cantaor : un chanteur flamenco
las palmas : les battements de
mains
el cante jondo : le chant flamenco

un cantautor : un auteur-interprète
de chansons
un rapero : un rappeur
un rockero : un rockeur

las notas : les notes
un acorde : un accord
una canción : une chanson
una zarzuela : une opérette
[espagnole]
una voz : une voix

grave : grave
agudo : aigu
alto : fort
bajo : bas
afinado : juste, accordé
desafinado : faux, désaccordé

tocar : jouer [d'un instrument]
tocar las palmas : battre des mains
cantar : chanter

UN PEU DE CONVERSATION

● No hemos podido conseguir entradas para ir
   a escuchar a ese grupo de rock.
   Nous n'avons pas pu obtenir de billets pour aller écouter
   ce groupe de rock.

● Los cantautores están pasados de moda, ahora lo
   que triunfa son los raperos.
   La chanson d'auteur n'est plus à la mode, maintenant ce sont
   les rappeurs qui ont du succès.

● He estudiado solfeo en el Conservatorio, pero no
   sé tocar ningún instrumento.
   J'ai fait des études de solfège au Conservatoire, mais je ne sais
   jouer d'aucun instrument.

● Por favor, ¿puedes poner la música más baja?
   Me duele la cabeza.
   Tu peux baisser la musique, s'il te plaît? J'ai mal à la tête.

- ¡Cómo desafinas! Tienes muy mal oído, es una pena.
  Ce que tu chantes faux ! Tu n'as pas l'oreille musicale,
  dommage !

LA LECTURE

la lectura : la lecture
un libro : un livre
la librería : la librairie
una biblioteca : une bibliothèque

la portada : la couverture
la contraportada : la quatrième de
couverture
la (casa) editorial : la maison
d'édition

un escritor : un écrivain
un novelista : un romancier
un ensayista : un essayiste
un poeta : un poète

una novela : un roman
un relato : un récit
un cuento : une nouvelle, un conte
un ensayo : un essai

el estilo : le style
el género : le genre

la intriga : la trame
el final : la fin
el protagonista : le protagoniste
el narrador : le narrateur

el capítulo : le chapitre
un párrafo : un paragraphe
una línea : une ligne

una estrofa : une strophe
un verso : un vers
una rima : une rime

literario : littéraire
policiaco : policier
de misterio : à énigme
rosa : à l'eau de rose
de acción : d'aventures

(re)leer : (re)lire
titularse : avoir pour titre
sacar prestado : emprunter
publicar : publier

UN PEU DE CONVERSATION

- Este libro ha ganado el Premio Nacional de Ensayo.
  Ce livre a gagné le Prix national de l'Essai.
- No me acuerdo del título de la novela, pero sé que
  tenía una portada azul claro.
  Je ne me souviens plus du titre du roman, mais je sais que
  la couverture était bleu clair.
- La novelista está escribiendo su autobiografía para
  una editorial argentina.
  La romancière écrit son autobiographie pour une maison
  d'édition argentine.

LES MUSÉES

el arte : l'art
las Bellas Artes : les beaux-arts
una obra maestra : un chef-d'œuvre
una pintura, un cuadro, un lienzo : un tableau
una escultura : une sculpture
un fresco : une fresque
un grabado : une gravure
un retrato : un portrait
un bodegón : une nature morte
un óleo : une peinture à l'huile

una acuarela : une aquarelle
un pintor : un artiste-peintre
un escultor : un sculpteur

arqueológico : archéologique
arquitectónico : architectural
pictórico : pictural
escultórico : sculptural

pintar : peindre
esculpir : sculpter
exponer : exposer
restaurar : restaurer

UN PEU DE CONVERSATION

- Voy a una inauguración de un amigo pintor, ¿me acompañas?

  Je vais au vernissage d'un ami peintre, tu viens avec moi?

- En el museo está prohibido sacar fotos con flash y tocar las obras de arte.

  Au musée, il est interdit de prendre des photos avec flash et de toucher les œuvres d'art.

- Mi hijo estudia Bellas Artes en la Universidad de Barcelona.

  Mon fils étudie les beaux-arts à l'université de Barcelone.

- ¿Qué pinceles me aconsejas para pintar acuarelas?

  Quels pinceaux me conseilles-tu pour peindre des aquarelles?

LES MOYENS DE TRANSPORT

un viajero : un voyageur
un viaje organizado : un voyage organisé

el tren : le train
el barco : le bateau
el autobús : l'autobus, le car
la estación : la gare
el andén : le quai de gare, de métro
un transbordo : une correspondance
el aeropuerto : l'aéroport
la puerta de embarque : la porte d'embarquement
un billete, un pasaje [Amér.] : un billet

el coche : la voiture
las ruedas : les roues
el asiento : le siège
el cinturón de seguridad : la ceinture de sécurité
los faros : les phares
el maletero : le coffre
la carretera : la route
la autopista : l'autoroute

la autovía : la voie rapide
una gasolinera : une station-service
las señales de tráfico : les signalisations routières
el arcén : la bande d'arrêt d'urgence

un visado : un visa
la frontera : la frontière
la aduana : la douane
el equipaje : les bagages
las maletas, las valijas [Amér.] : les valises

largo : long
cansado : fatigant, fatigué
peligroso : dangereux
arriesgado : risqué

facturar : enregistrer [des bagages]
despegar : décoller
aterrizar : atterrir
volar : voler
echar gasolina, repostar : prendre de l'essence
pinchar(se) : crever [un pneu]

▸ **LES TRANSPORTS P. 180**

UN PEU DE CONVERSATION

● Ya han abierto el último tramo de la línea de alta velocidad Madrid-Barcelona.
On a ouvert le dernier tronçon de la ligne à grande vitesse Madrid-Barcelone.

- Aún no hemos reservado nuestro vuelo, no sé si vamos a encontrar billetes.
  Nous n'avons pas encore réservé notre vol, je ne sais pas si nous trouverons des billets.

- Estamos atravesando una zona de turbulencias. Por favor, mantengan abrochados los cinturones.
  Nous traversons une zone de turbulences. Nous vous prions de garder vos ceintures attachées.

- Es piloto de línea, hace con frecuencia la ruta Buenos Aires-Tokio.
  Elle est pilote de ligne, elle fait souvent la liaison Buenos Aires-Tokyo.

- ¿Me venís a buscar a la estación de autobuses? Llego a las tres de la tarde.
  Vous viendrez me chercher à la gare routière ? J'arrive à trois heures de l'après-midi.

- Conduzca con prudencia y respete los límites de velocidad.
  Conduisez prudemment et respectez les limitations de vitesse.

- De aquí a Atocha tienes dos transbordos.
  D'ici à Atocha tu as deux correspondances.

- Nos quedamos sin gasolina en Yucatán.
  On est tombés en panne d'essence dans le Yucatán.

LE LOGEMENT

un hotel cuatro estrellas : un hôtel quatre étoiles
una pensión : une pension
una casa rural : un gîte rural
un albergue : une auberge de jeunesse

un huésped : un hôte
la llave : la clé
la factura : la note

una habitación doble / individual : une chambre double / simple
una cama de matrimonio : un lit double

el baño : la salle de bains
una ducha : une douche
una bañera : une baignoire

limpio : propre
sucio : sale
tranquilo : calme
ruidoso : bruyant
bien comunicado : bien desservi
alojarse : se loger
reservar : réserver
anular una reserva : annuler une réservation
acampar : camper

▸ LA MAISON P. 173

UN PEU DE CONVERSATION

- La agencia nos ha aconsejado un paquete de viaje
  más hotel con media pensión.
  L'agence nous a conseillé une formule «voyage + hôtel
  en demi-pension».

- — Hola, ¿les queda alguna habitación libre
  para esta noche? —Sí, una doble con baño.
  Bonjour, avez-vous une chambre pour ce soir?
  – Oui, une double avec salle de bains.

- Buenas tardes, quisiera confirmar la reserva
  de habitación a nombre de Sánchez para
  el próximo día quince.
  Bonjour, je souhaite confirmer la réservation d'une chambre
  au nom de Sánchez pour le quinze.

- El precio de la habitación incluye desayuno.
  Le prix de la chambre inclut le petit-déjeuner.

- Se han alojado en una pensión antigua que estaba
  muy bien de precio.
  Elles ont logé dans une vieille pension pour un prix très
  intéressant.

- Los paradores nacionales son hoteles de lujo
  en monumentos históricos del Estado español.
  Les *paradores nacionales* sont des hôtels de luxe aménagés
  dans des monuments historiques appartenant à l'État espagnol.

- Mis amigos van a viajar por Escandinavia
  con mochila y tienda de campaña.
  Mes copains partent en voyage en Scandinavie avec sacs
  à dos et tentes.

◼ AU RESTAURANT

el menú del día : le menu du jour
el primer plato, el entrante : l'entrée
el segundo plato : le plat principal
el postre : le dessert
una bebida : une boisson

la cuenta : l'addition
la propina : le pourboire
la vuelta : la monnaie

el camarero : le serveur
el cocinero : le cuisinier, le chef
el pinche : l'aide-cuisinier

la comida rápida : la restauration rapide
la comida basura : la nourriture industrielle

casero : fait maison
tradicional : traditionnel
exquisito : exquis
sabroso : savoureux
regular : moyen
insípido, soso : sans goût, fade
grasiento : gras, lourd
malo : mauvais

muy hecho : bien cuit
en su punto : à point
poco hecho : saignant
crudo : cru, bleu
a la plancha : à la *plancha*
[sans matière grasse]
al vapor : à la vapeur

comer fuera : manger au restaurant
saborear : savourer

▸ **LA CUISINE P. 171**

☐ UN PEU DE CONVERSATION

● —¿Quedamos para cenar el sábado?
 —Vale, ¿tú invitas?
 On se voit samedi pour dîner ? – D'accord, tu m'invites ?

● Llama al restaurante y reserva una mesa para seis.
 Appelle le restaurant et réserve une table pour six.

● Llamaba para reservar una mesa para cuatro a las 9, si es posible en la terraza.
 Je voudrais réserver une table pour quatre personnes pour 9 heures, si possible en terrasse.

● No os aconsejo ese sitio. A nosotros nos tuvieron esperando casi hora y media antes de servirnos.
 Je ne vous conseille pas cet endroit. Nous avons attendu près d'une heure et demie avant d'être servis.

● —¿Ha elegido ya? —Sí, de primero, una ensalada. Y de segundo, calamares en su tinta.
 Avez-vous choisi ? – Oui, en entrée, une salade. Et comme plat principal, des calamars à l'encre.

- ¿Nos trae dos cafés solos y un cortado? Y la cuenta cuando pueda, por favor.
  Pouvons-nous avoir deux express et un café noisette ?
  Et l'addition en même temps, s'il vous plaît.
- — Son veintiséis euros con ochenta. — Aquí tiene, y quédese la vuelta.
  Ça fait vingt-six euros quatre-vingts. – Voilà, et gardez la monnaie.

DANS LES BARS

una bodega : un bar à vins
la barra : le comptoir
la terraza : la terrasse
una consumición :
une consommation
una cerveza : une bière
una caña : une bière pression
una clara : un panaché
una sidra : un cidre
un chato : un petit verre de vin
un vaso de agua : un verre d'eau
la carta de vinos : la carte des vins
un zumo de piña, un jugo [Amér.] :
un jus d'ananas
un agua con gas/sin gas : une eau
minérale gazeuse/plate
un café solo : un café
un café cortado : un café noisette

un café con leche : un café au lait
un chocolate con churros :
un chocolat avec des beignets
una tapa, un pincho : un
amuse-gueule
una ración : une assiette à partager
una tabla de quesos : une assiette
de fromages
un bollo : une pâtisserie
unas aceitunas : des olives
un bocadillo : un sandwich

tinto : rouge [vin]
rosado : rosé [vin]
blanco : blanc [vin]

beber, tomar [Amér.] : boire
comer : manger
picar : grignoter

UN PEU DE CONVERSATION

- Por favor, ¿nos pone dos cañas?
  Deux bières pression, s'il vous plaît.
- ¿Nos sentamos o nos quedamos en la barra?
  On s'assoit ou on reste au comptoir ?
- Nos llevó a un bar de mala muerte cerca de su casa.
  Il nous a emmenés dans un boui-boui près de chez lui.
- Anoche fuimos de tapas por la plaza Santa Ana y después de copas por Huertas.
  Hier soir on est allés manger des tapas place Santa Ana, puis boire un verre dans Huertas [quartier de Madrid].

(15) L'éducation

L'ENSEIGNEMENT

la enseñanza : l'enseignement
los estudios : les études
un estudiante : un étudiant
un alumno : un élève
el maestro : le professeur des écoles
el personal docente : le corps enseignant

la asignatura : la matière
la lengua materna : la langue maternelle
los idiomas : les langues étrangères

la escuela : l'école
el colegio : le collège
el instituto : le lycée
una carrera : des études universitaires
una beca : une bourse
un intercambio : un échange
una convalidación : une équivalence

una convocatoria de examen : une convocation à un examen
una oposición : un concours
la selectividad : l'examen d'entrée à l'université
un aprobado : une note égale ou au-dessus de la moyenne
un suspenso : une note au-dessous de la moyenne
un diploma, un título : un diplôme

una licenciatura, una maestría [Amér.] : un diplôme universitaire [bac + 4 ou 5]
un diploma de grado : une licence universitaire [L du LMD]
un (diploma de) posgrado : un master [M du LMD]
un doctorado : un doctorat [D du LMD]

optativo : optionnel
obligatorio : obligatoire
cuatrimestral : d'une durée de quatre mois
anual : annuel

la enseñanza primaria : le primaire
la enseñanza secundaria : le secondaire
la enseñanza superior : le supérieur

repasar : réviser
tomar apuntes : prendre des notes
sacar buenas / malas notas : avoir de bonnes / de mauvaises notes
evaluar : noter
graduarse, recibirse [Amér.] : obtenir un diplôme
aprobar : réussir
suspender, aplazar [Amér.] : échouer
repetir : redoubler

On appelle *clase de lengua* le cours d'espagnol (qui correspond au cours de français en France) et *clase de idiomas* le cours de langue étrangère.

UN PEU DE CONVERSATION

- El plazo de matrícula se cierra el día ocho
  de septiembre a las tres de la tarde.
  La clôture des inscriptions est fixée au 8 septembre
  à trois heures de l'après-midi.

- He pedido una beca para realizar una estancia
  de investigación en el extranjero.
  J'ai demandé une bourse pour faire un séjour de recherche
  à l'étranger.

- El hermano de Miguel está preparando las
  oposiciones de magisterio.
  Le frère de Miguel prépare le concours de professeur des écoles.

- Una compañera coge los apuntes y me los presta
  para ayudarme a repasar los exámenes.
  Une copine prend des notes et elle me les prête pour m'aider
  à réviser les examens.

- Ha estudiado dos carreras y sacó muy buenas notas.
  Il a fait un double cursus et il a obtenu beaucoup de mentions.

LA CLASSE

el aula : la salle de cours
la clase : le cours, la salle de cours,
la classe
el curso : l'année scolaire
un compañero : un camarade
un pupitre : une table
una fila : un rang
la pizarra : le tableau
la tiza : la craie

un diccionario : un dictionnaire
un libro de texto : un manuel
un cuaderno : un cahier
un archivador : un classeur
una chuleta : une antisèche
una cartera : un cartable
un bolígrafo : un stylo à bille
un rotulador : un feutre
un lápiz : un crayon à papier
una goma, un borrador :
une gomme

el timbre : la sonnerie

los deberes : les devoirs
un ejercicio : un exercice

(des)motivado : (dé)motivé
atento : attentif
interesado : intéressé
interesante : intéressant
(des)concentrado : (dé)concentré
charlatán : bavard
estudioso : studieux
(des)obediente : (dés)obéissant
(mal)educado : (im)poli

explicar : expliquer
entender : comprendre
progresar : faire des progrès
copiarse : copier

corregir : corriger
expulsar : exclure

UN PEU DE CONVERSATION

- Siéntate en la primera fila, así verás mejor la pizarra.
  Assieds-toi au premier rang, tu verras mieux le tableau.

- Abrid el libro por la página treinta y cuatro. Vamos a corregir los ejercicios.
  Ouvrez le livre à la page 34. Nous allons corriger les exercices.

- Nos han mandado buscar información por internet para el lunes.
  On nous a donné des recherches à faire sur Internet pour lundi.

- A Carlos le pilló el profesor con una chuleta en el examen.
  Le professeur a attrapé Carlos avec une antisèche pendant l'examen.

- Este curso casi nunca tengo clase los viernes.
  Cette année je n'ai presque jamais cours le vendredi.

VOUS LES CONNAISSEZ, SAVEZ-VOUS LES PRONONCER ?

una profesión ❖ un artesano ❖ un ingeniero ❖ el patrón ❖ una compañía ❖ una sociedad anónima ❖ la materia prima ❖ la producción ❖ el horario ❖ mecanizado ❖ manual ❖ manufacturado ❖ producir ❖ fabricar

LES PROFESSIONS

el trabajo : le travail
un oficio : un métier
una carrera : une carrière

un campesino : un paysan
un pescador : un pêcheur

un fontanero : un plombier
un electricista : un électricien
un albañil : un maçon

un tendero : un commerçant
un dependiente : un vendeur
un panadero : un boulanger
un carnicero : un boucher
un pescadero : un poissonnier

un abogado : un avocat
un arquitecto : un architecte
un médico : un médecin

un investigador : un chercheur
un profesor : un enseignant

un militar : un militaire
un policía : un policier

un informático : un informaticien
un vendedor : un commercial

laboral : relatif au travail
profesional : professionnel
en activo : en activité
jubilado : retraité

trabajar : travailler
cobrar : toucher [un salaire]
ejercer una profesión : exercer
une profession
jubilarse, retirarse : partir
à la retraite

► L'ÉDUCATION P. 201

UN PEU DE CONVERSATION

- Un personaje de esa película es juez por el día
  y cantante por la noche.
  Un des personnages de ce film est magistrat le jour et chanteur
  la nuit.

- ¿Quién ha dado las instrucciones a los albañiles
  de la obra?
  Qui a donné des instructions aux maçons du chantier ?

- En España y en Francia no siempre coinciden los días
  laborables y festivos.
  En Espagne et en France, les jours ouvrés et fériés ne sont pas
  toujours les mêmes.

LE MONDE DE L'ENTREPRISE

el dueño : le propriétaire
un industrial : un industriel
un empresario : un chef d'entreprise
un jefe : un chef
un directivo : un cadre
un encargado : un responsable
un empleado : un employé
un obrero : un ouvrier
un trabajador : un travailleur
un asalariado : un salarié
la plantilla : le personnel

una oficina : un bureau
la sede : le siège
una empresa : une entreprise
las pyme (pequeñas y medianas empresas) : les P. M. E. (petites et moyennes entreprises)

un polígono industrial : une zone industrielle
una fábrica : une usine
una nave : un hangar
una planta : une unité de production

un parque tecnológico : un technopôle

la maquinaria : les machines
el mantenimiento : la maintenance

un invento : une invention
una patente : un brevet
el espionaje industrial : l'espionnage industriel
un proyecto I + D + I (investigación, desarrollo e innovación) : un projet R & D (recherche et développement)
una industria puntera : une industrie à la pointe du progrès
una tecnología punta : une technologie de pointe

innovador : innovant
avanzado : en avance
atrasado : en retard

patentar : breveter
fomentar : promouvoir
quebrar : faire faillite

UN PEU DE CONVERSATION

- El Ministerio de Economía y Hacienda fomenta la creación de pequeñas empresas por medio de ventajas fiscales.
  Le ministère de l'Économie encourage la création de petites entreprises par des avantages fiscaux.

- Con la crisis económica galopante, muchas pyme están al borde de la quiebra.
  À cause de la crise économique croissante, beaucoup de PME sont au bord de la faillite.

- He realizado unas prácticas en una fábrica de calzado, llevaba la contabilidad.
  J'ai effectué un stage dans une usine de chaussures, je m'occupais de la comptabilité.

- Están buscando bioquímicos para el nuevo parque tecnológico de Málaga, ¿por qué no te presentas?
  On recherche des biochimistes pour le nouveau technopôle de Málaga, tu pourrais te présenter.

LES CONDITIONS DE TRAVAIL

un empleo : un emploi
la paga : la paye
el sueldo, el salario : le salaire
el salario mínimo interprofesional : le SMIC
la nómina : la fiche de paie

un contrato fijo, de duración indefinida : un CDI
un contrato temporal, a plazo fijo : un CDD
un contrato de obra y servicio : un contrat au forfait
un contrato de prácticas : un stage

el paro, el desempleo : le chômage
el (subsidio de) paro : l'indemnité de chômage
un parado : un chômeur
el INEM (Instituto de Empleo) : [équivalent espagnol de l'ANPE]
una agencia de empleo temporal : une agence d'intérim
una bolsa de trabajo : une bourse aux emplois
una oferta de empleo : une offre d'emploi
la jornada laboral : la journée de travail
una jornada completa / a tiempo parcial : un travail à temps complet / à temps partiel
horas extraordinarias : des heures supplémentaires

una baja por enfermedad / maternidad : un congé de maladie / de maternité
un año sabático : une année sabbatique
las vacaciones : les vacances

un cursillista : un stagiaire
un becario : un boursier
un interino : un intérimaire

el acoso laboral : le harcèlement au travail
un despido improcedente : un licenciement abusif
el trabajo en negro : le travail au noir

un conflicto social : un conflit social
una huelga : une grève
una manifestación : une manifestation
un enfrentamiento : un affrontement

contratado : embauché
despedido : licencié
combativo : combatif
comprometido : engagé

contratar : embaucher
despedir : licencier
buscar trabajo : chercher un emploi
encontrar trabajo : trouver un emploi

luchar : lutter
reivindicar : revendiquer

UN PEU DE CONVERSATION

- Se ofrece una vacante en el área profesional de recursos humanos. Contrato fijo.
  Offrons emploi en ressources humaines. Contrat à durée indéterminée.

- Nuestro portero está de baja de paternidad, una agencia de empleo temporal nos ha enviado una suplente.
  Notre gardien est en congé de paternité, une agence d'intérim nous a envoyé une remplaçante.

- Está enfermo, pero ha venido a trabajar.
  Il est malade, mais il est venu travailler.

- Mi prima se ha quedado sin trabajo y todavía no cobra el paro.
  Ma cousine a perdu son emploi mais elle ne touche pas encore le chômage.

- Trabajar a destajo puede tener consecuencias negativas para la salud del trabajador.
  Le travail à la pièce peut avoir des conséquences négatives sur la santé des travailleurs.

- Se ha convocado una manifestación en apoyo de los huelguistas.
  On appelle à manifester en soutien aux grévistes.

la sociedad de clases ❖ la movilidad vertical ❖ la discriminación
❖ la xenofobia ❖ el racismo ❖ el narcotráfico ❖ una víctima
❖ una sentencia ❖ una pena ❖ violento ❖ racista ❖ privilegiado
❖ culpable ❖ inocente ❖ organizarse ❖ denunciar ❖ acusar ❖ defender

LES COMPOSANTES SOCIALES

la ciudadanía : les citoyens
un ciudadano : un citoyen
la escala social : l'échelle sociale

la jerarquización : la hiérarchisation
el estatus : le statut
un privilegio : un privilège

la clase obrera : la classe ouvrière
la clase media : la classe moyenne
la alta burguesía : la grande
bourgeoisie
la clase dirigente : la classe
dirigeante
un alto funcionario : un haut
fonctionnaire

un propietario : un propriétaire
un terrateniente, un latifundista :
un grand propriétaire terrien

una casta : une caste
una minoría : une minorité
el mestizaje : le métissage
la mezcla : la mixité
el ascenso social : l'ascension
sociale

rural : rural
urbano : urbain
desfavorecido : défavorisé

relacionarse con : entretenir
des relations avec
estar en contacto con : être
en contact avec
depender de : dépendre de
ascender : gravir les échelons
mezclarse con : fréquenter
convivir con : cohabiter avec

☐ UN PEU DE CONVERSATION

- Mis padres y mis hermanos son obreros, yo soy
  la única de la familia con estudios universitarios.
  Mes parents et mes frères et sœurs sont ouvriers, je suis la seule
  de la famille à avoir fait des études à l'Université.

- En México, casi todos somos mestizos de españoles
  e indios.
  Au Mexique, nous sommes pour la plupart des métis
  d'Espagnols et d'Indiens.

- En nuestro colegio queremos promover la mezcla social y étnica.
  Dans notre école, nous cherchons à favoriser la mixité sociale et ethnique.

LES PROBLÈMES SOCIAUX

un centro de acogida : un centre d'accueil

un teléfono de asistencia : un numéro d'aide sociale

los servicios sociales : les services sociaux

un asistente social : un assistant social

el clasismo : la discrimination sociale

la violencia de género : la violence conjugale

los malos tratos : les mauvais traitements

la xenofobia : la xénophobie

una pandilla : un gang

un pandillero : un membre de gang

la droga : la drogue

un porro : un joint

el narcotráfico : le trafic de drogues

un narcotraficante : un trafiquant de drogues

un drogadicto : un drogué

un alcohólico : un alcoolique

una cura de desintoxicación : une cure de désintoxication

machista : macho

denunciar : dénoncer

desintoxicarse : se désintoxiquer

asistir : assister, aider

arbitrar : arbitrer

UN PEU DE CONVERSATION

- ¡No te dejes maltratar! Llama al centro de asistencia social más cercano.
  Ne tolère pas les mauvais traitements! Téléphone au centre d'aide sociale le plus proche.

- Cada año mueren en España decenas de mujeres víctimas de la violencia de género.
  Chaque année, en Espagne, des dizaines de femmes meurent à cause de la violence conjugale.

- Nuestra asociación lucha contra los prejuicios raciales por medio de la educación.
  Notre association combat les préjugés racistes par l'éducation.

- La policía ha desmontado una red de pedofilia por internet.
  La police a démantelé un réseau de pédophilie sur Internet.

LA JUSTICE

el derecho : le droit
la ley : la loi
el código civil/penal : le code civil/pénal

un tribunal : un tribunal [les personnes]
un juzgado : un tribunal [le lieu]
el Tribunal Constitucional/Supremo : la Cour constitutionnelle/suprême
un juicio : un procès, un jugement

un juez : un juge
un abogado defensor : un avocat de la défense
un procurador : un avoué
el acusado : l'accusé
un testigo : un témoin

una condena : une peine
la cárcel, la prisión : la prison
la libertad provisional : la liberté conditionnelle
una fianza : une caution
una multa : une amende

la cadena perpetua : la réclusion à perpétuité

arrestado, detenido : arrêté
absuelto : innocenté
condenado : condamné
encarcelado : emprisonné

agredir, atracar : agresser
robar : voler, cambrioler
secuestrar : kidnapper
violar : violer
matar : tuer
asesinar : assassiner

poner una denuncia : porter plainte
testificar : témoigner
acusar : accuser
defender : défendre
juzgar : juger
recurrir : faire appel
cumplir una condena : purger une peine
liberar : libérer

☐ UN PEU DE CONVERSATION

● He estudiado derecho y ahora busco trabajo en algún despacho de abogados.
J'ai fait des études de droit et maintenant je cherche du travail dans un cabinet d'avocats.

● ¡Soy inocente! ¡Nunca he hecho daño a nadie!
Je suis innocent ! Je n'ai jamais fait de mal à personne !

● Mañana nos vemos a la puerta del juzgado.
On se retrouve demain à l'entrée du tribunal.

● El juez dictó sentencia después de oír a todos los testigos.
Le juge a rendu sa sentence après avoir entendu tous les témoins.

● Queda usted detenido.
Vous êtes en état d'arrestation.

18 La politique

un régimen político ❖ la monarquía ❖ la dinastía ❖ la reina
❖ la democracia ❖ la Constitución ❖ un ministerio ❖ la represión
❖ los diputados ❖ los senadores ❖ la abstención ❖ la ideología
❖ una campaña electoral ❖ un candidato ❖ monárquico ❖ democrático
❖ comunista ❖ federal ❖ político ❖ anarquista ❖ demagógico

L'ÉTAT

el Estado : l'État
el Gobierno : le gouvernement
el poder : le pouvoir
la soberanía : la souveraineté
la democracia : la démocratie
un jefe de Estado : un chef d'État
el rey : le roi
el presidente del Gobierno :
le Premier ministre
el presidente de la República :
le président de la République
el portavoz : le porte-parole
un ministro : un ministre
una dictadura : une dictature
un dictador : un dictateur
un golpe de Estado : un coup
d'État
una guerra : une guerre

un genocidio : un génocide
una tregua : une trêve

ejecutivo : exécutif
legislativo : législatif
judicial : judiciaire
constituyente : constituant
republicano : républicain
demócrata : démocrate
(contra)revolucionario : (contre-)
révolutionnaire
totalitario : totalitaire
(anti)terrorista : (anti)terroriste

gobernar : gouverner
reinar : régner
reprimir : réprimer
dirigir : diriger
estallar : éclater

UN PEU DE CONVERSATION

- El periodo entre la dictadura franquista y el régimen
  democrático se conoce como la Transición.
  La période entre la dictature franquiste et le régime
  démocratique est connue sous le nom de Transition.

- Han detenido a los golpistas a tiempo.
  On a arrêté les putschistes à temps.

- Estaba en La Habana cuando triunfó la revolución.
  Il était à La Havane au moment où la révolution a triomphé.

LES INSTITUTIONS

las Cortes : le Parlement
el Congreso : l'Assemblée nationale
un eurodiputado : un député
européen
el Senado : le Sénat
el defensor del pueblo [Esp.] :
le défenseur du peuple
[médiateur institutionnel]

la votación : le vote
un voto : une voix
un escaño : un siège

un decreto : un arrêté
una directiva : une directive

las Comunidades Autónomas
[Esp.] : les Régions autonomes
el Parlamento autonómico [Esp.] :
le Parlement régional
una subdelegación del gobierno :
une préfecture

un ayuntamiento : une mairie
el alcalde : le maire
el concejal : le conseiller municipal

el Ejército, las Fuerzas Armadas :
l'armée

la Policía Nacional : la police
nationale
la Policía Municipal : la police
municipale
un guardia civil [Esp.] :
un gendarme
un guardia de tráfico : un agent
de la circulation
un antidisturbios : un CRS

las elecciones generales :
les élections générales
las elecciones autonómicas :
les élections régionales
las elecciones municipales :
les élections municipales
el sufragio universal : le suffrage
universel
un voto en blanco : un bulletin
blanc
un voto nulo : un bulletin nul

legislar : légiférer
legalizar : légaliser
celebrar elecciones : convoquer
des élections

UN PEU DE CONVERSATION

- Vimos al presidente de la Generalitat cenando
  sin escolta en un restaurante.
  Nous avons vu le président de la Generalitat [Gouvernement de la
  région autonome de Catalogne] dîner sans escorte dans un restaurant.

- Las Cortes aprobaron una nueva ley por la que se
  autoriza el matrimonio gay [géi].
  Le Parlement a approuvé une nouvelle loi autorisant le mariage
  homosexuel.

- Nuestra alcaldesa ha sido reelegida por mayoría
  absoluta.
  Notre maire a été réélue à la majorité absolue.

LES PARTIS

un partido : un parti
la derecha : la droite
la ultraderecha : l'extrême droite
el centro : le centre
la izquierda : la gauche
la extrema izquierda : l'extrême gauche
la oposición : l'opposition
la financiación : le financement
los valores : les valeurs
un compromiso : un engagement

un congreso : un congrès
un político : un homme politique
un candidato : un candidat
un líder : un dirigeant
el secretario general : le premier secrétaire
un militante : un militant

un discurso : un discours
una intervención parlamentaria : une intervention au Parlement

un turno de réplica : un tour de parole
un mitin : un meeting

conservador : conservateur
liberal : libéral
moderado : modéré
verde : vert
socialista : socialiste
afiliado : adhérent

convincente : convaincant
sincero : sincère
falso : hypocrite
agresivo : agressif
transparente : transparent
opaco : opaque

liderar : diriger
afiliarse : adhérer
criticar : critiquer
apoyar : soutenir
proponer : proposer
debatir : débattre

UN PEU DE CONVERSATION

- Durante la campaña, los dos candidatos se enfrentaron en un debate televisado.
  Pendant la campagne, les deux candidats se sont affrontés lors d'un débat télévisé.

- Me parece que la oposición no tiene nada que proponer, solo busca atacar.
  Il me semble que l'opposition n'a rien à proposer, elle ne cherche qu'à contredire.

- Nómbrame algún político que haya respetado sus compromisos.
  Donne-moi le nom d'un homme politique qui ait respecté ses engagements.

19 Richesse et pauvreté

L'ARGENT

el dinero, la plata [Amér.] : l'argent
una moneda : une pièce de monnaie
el suelto : de la monnaie
un talón, un cheque : un chèque
un cheque de viaje : un chèque de voyage
una tarjeta de crédito : une carte de crédit
un cajero automático : un distributeur automatique

una divisa : une divise
el cambio : le change

una caja de ahorros : une caisse d'épargne
una cuenta corriente : un compte courant
una cartilla : un livret
un préstamo al consumo : un emprunt à la consommation
el interés : l'intérêt

una deuda : une dette
un ingreso : un dépôt d'argent
una transferencia : un virement
el precio : le prix
una subida / una bajada de precios : une augmentation / une diminution des prix
los ingresos : le revenu
un gasto : une dépense

(in)solvente : (non) solvable
(im)pagado : (im)payé
caro : cher
barato : bon marché
asequible : abordable

pagar en metálico, en efectivo : payer en espèces
reembolsar : rembourser
ahorrar : épargner
prestar : prêter
tomar prestado : emprunter
deber : devoir

UN PEU DE CONVERSATION

- Acabo de abrir una cuenta en un banco on-line que no cobra comisiones de servicios.
  Je viens d'ouvrir un compte dans une banque en ligne qui ne prend pas de frais de gestion.

- ¿Me prestas algo de dinero? No llevo nada encima.
  Peux-tu me prêter un peu d'argent ? Je n'ai rien sur moi.

- He tenido tantos gastos que he acabado el mes
  en números rojos.
  J'ai eu tellement de dépenses que j'ai fini le mois à découvert.

- Para tu viaje al extranjero, llévate una parte del
  dinero en metálico y lo demás en cheques de viaje.
  Pour ton voyage à l'étranger, prends une partie de l'argent
  en espèces et le reste en chèques de voyage.

- En los lugares concurridos, presten atención
  a sus bolsos y carteras.
  Dans les agglomérations, soyez attentifs à vos sacs
  et portefeuilles.

L'ÉCONOMIE

el desarrollo económico :
le développement économique

la aceleración : l'accélération

la desaceleración : le ralentissement

los negocios : les affaires

el consumo : la consommation

el consumidor : le consommateur

el poder adquisitivo : le pouvoir
d'achat

la competencia : la concurrence

un contable : un comptable

una auditoría : un audit

la bolsa : la bourse

el Ibex 35 [équivalent espagnol
du CAC 40]

una tasa : une taxe

un impuesto : un impôt

la declaración de la renta :
la déclaration d'impôts

un contribuyente : un contribuable

la economía sumergida :
l'économie parallèle

el dinero negro : l'argent sale

el mercado emergente : le marché
émergent

bursátil : boursier

endeudado : endetté

globalizado : globalisé

invertir : investir

blanquear : blanchir [de l'argent]

UN PEU DE CONVERSATION

- Están realizando una auditoría en mi empresa y anda
  todo el mundo nerviosísimo.
  On est en train de réaliser un audit dans mon entreprise et tout
  le monde est très nerveux.

- ¡Eres un consumista! Solo piensas en comprar…
  Tu es un consommateur compulsif! Tu ne penses
  qu'à acheter…

- La fuga de capitales a los paraísos fiscales supone
  una pérdida financiera importante para los Estados.
  La fuite des capitaux vers les paradis fiscaux représente
  une perte financière importante pour les États.

LES INÉGALITÉS ET L'EXCLUSION

un sin techo : un sans-abri
un sin papeles : un sans-papiers
un marginado : un exclu
un refugiado : un réfugié

el analfabetismo : l'analphabétisme
el hambre : la faim

una chabola : un taudis
un barrio de chabolas : un bidonville
una barriada [Amér.] : un quartier
pauvre
un arrabal : une banlieue pauvre

la injusticia : l'injustice
la desigualdad : l'inégalité

el comercio justo : le commerce
équitable

(i)legal : (il)légal
rico : riche
pobre : pauvre
(archi)millonario : (multi)
milliardaire
equitativo : équitable
subdesarrollado : sous-développé

especular : spéculer
enriquecerse : s'enrichir
empobrecerse : s'appauvrir
arruinarse : se ruiner
mendigar : mendier

UN PEU DE CONVERSATION

- En ese pasadizo duerme un sin techo desde hace
  dos años.
  Un sans-abri dort dans ce passage souterrain depuis deux ans.

- El alcalde ha ordenado la destrucción de las chabolas
  pero los habitantes se han enfrentado con la policía.
  Le maire a ordonné la destruction du bidonville mais les
  habitants se sont opposés à la police.

- Muchos inmigrantes clandestinos procedentes
  de África se dejan la vida intentando cruzar
  el océano en cayuco para llegar a España.
  Grand nombre d'immigrants clandestins venant d'Afrique
  perdent la vie en essayant de traverser l'océan dans
  des embarcations de fortune pour se rendre en Espagne.

- En este pueblo, el comercio justo ha permitido
  la creación de una escuela rural.
  Dans cette commune, le commerce équitable a permis
  la création d'une école rurale.

20 L'environnement

VOUS LES CONNAISSEZ, SAVEZ-VOUS LES PRONONCER ?

la atmósfera ❖ el termómetro ❖ un anticiclón ❖ una inundación
❖ una montaña ❖ un valle ❖ un volcán ❖ la vegetación ❖ una serpiente
❖ una araña ❖ una ballena ❖ un delfín ❖ la biodiversidad ❖ la ecología
❖ un parque natural ❖ un combustible fósil ❖ un residuo ❖ una
catástrofe ❖ oceánico ❖ mediterráneo ❖ doméstico ❖ transgénico

LE CLIMAT

el tiempo : la météo
el clima : le climat

la estación : la saison
la primavera : le printemps
el verano : l'été
el otoño : l'automne
el invierno : l'hiver

el calor : la chaleur
el frío : le froid
la lluvia : la pluie
el granizo : la grêle
la nieve : la neige
el hielo : la glace

una borrasca : une tempête
una tormenta : un orage
un huracán : un ouragan
un trueno : un coup de tonnerre
el rayo : la foudre

un relámpago : un éclair
el arco-iris : l'arc-en-ciel

una corriente marina : un courant marin
una riada : une crue

cálido : chaud
temperado : tempéré
frío : froid
polar : polaire

húmedo : humide
nublado : nuageux
despejado : dégagé
soleado : ensoleillé

llover : pleuvoir
nevar : neiger
helar : geler
granizar : grêler
escampar : cesser de pleuvoir

UN PEU DE CONVERSATION

- En esta época siempre tenemos sol y buen tiempo.
  En cette période, nous avons toujours du soleil et du beau temps.

- Está muy nublado, pero no llueve.
  Le ciel est très couvert, mais il ne pleut pas.

- Abrígate para salir, estamos a bajo cero.
  Couvre-toi pour sortir, il fait moins de zéro.

- El hombre del tiempo acaba de anunciar sol para todo el fin de semana.
  La météo vient d'annoncer du soleil pour tout le week-end.
- Santo Domingo está en alerta máxima, se acerca un viento huracanado de más de 130 km por hora.
  Saint-Domingue est en état d'alerte maximale, un vent violent s'approche à plus de 130 km à l'heure.

PAYSAGE, ANIMAUX ET VÉGÉTAUX

el mar : la mer
la costa : la côte
una bahía : une baie
la playa : la plage
un río : un fleuve
un lago : un lac
un embalse : un barrage
una sierra : une chaîne de montagnes
una cima : un sommet
una meseta : un plateau
una llanura : une plaine
un desierto : un désert

el bosque : le bois, la forêt
la selva : la jungle
un árbol : un arbre
una encina : un chêne vert
la hoja : la feuille
una flor : une fleur
una rama : une branche
la raíz : la racine

un ave : un oiseau
un águila : un aigle
un cuervo : un corbeau
un oso : un ours
un lobo : un loup
un toro : un taureau
una vaca : une vache
un perro : un chien
un gato : un chat
un cerdo : un cochon
un caballo : un cheval
una yegua : une jument

un pez : un poisson
una trucha : une truite
un salmón : un saumon
una caballa : un maquereau

una rana : une grenouille
un sapo : un crapaud
una lagartija : un lézard
una hormiga : une fourmi
una mosca : une mouche
un mosquito : un moustique
una mariposa : un papillon

escarpado : escarpé
erosionado : érodé
caudaloso : de grand débit
profundo : profond
ancho : large
tranquilo : calme

frondoso : touffu
silvestre : sauvage

salvaje : sauvage
peligroso : dangereux
inofensivo : inoffensif

recorrer : parcourir
escalar : escalader

salir : germer
crecer : pousser
florecer : fleurir

ladrar : aboyer
maullar : miauler
relinchar : hennir
cazar : chasser
pescar : pêcher

UN PEU DE CONVERSATION

- La vista sobre el puerto y la bahía es espléndida.
  La vue sur le port et la baie est magnifique.

- La selva amazónica es el pulmón del planeta.
  La forêt amazonienne est le poumon de la planète.

- Nos vamos de escalada a la sierra de Madrid.
  Nous partons faire de l'escalade dans les montagnes à proximité de Madrid.

- Lo que más les impresionó de su viaje a los Andes fueron los volcanes.
  Ce qui les a le plus impressionnés pendant leur voyage dans les Andes, ce sont les volcans.

- Esta foto de un oso polar sobre un pedazo de hielo a la deriva ha dado la vuelta al mundo.
  Cette photo d'un ours polaire sur un morceau de banquise à la dérive a fait le tour du monde.

LES ENJEUX ENVIRONNEMENTAUX

el medio ambiente : l'environnement
la naturaleza : la nature
los recursos naturales : les ressources naturelles
la capa de ozono : la couche d'ozone

una fuente de energía : une source d'énergie
la energía renovable : l'énergie renouvelable
el desarrollo sostenible : le développement durable

el cambio climático : le changement climatique
el recalentamiento del planeta : le réchauffement de la planète
un gas invernadero : un gaz à effet de serre
la licuación, la fusión de los hielos polares : la fonte des glaces polaires

una especie en peligro : une espèce en danger
una especie en vías de extinción : une espèce en voie de disparition
la preservación de las especies : la sauvegarde des espèces

la contaminación : la pollution
los residuos : les déchets
el vertido tóxico : le rejet de substances toxiques

la deforestación : le déforestation
un incendio provocado : un incendie volontaire

el agua potable : l'eau potable
una planta desalinizadora : une usine de désalinisation
la lluvia ácida : les pluies acides
la gota fría : la goutte froide
la sequía : la sécheresse
la desertización : la désertification
una marea negra : une marée noire

la agricultura biológica :
l'agriculture biologique
la agricultura intensiva :
l'agriculture intensive
un pesticida : un pesticide

transgénico : transgénique
ecológico : écologique
contaminado : pollué
contaminante : polluant
devastado : dévasté
medioambiental : environnemental

radioactivo : radioactif

(des)contaminar : (dé)polluer
limpiar tanques : dégazer
arrojar vertidos : rejeter
des déchets
malgastar : gaspiller
degradar : dégrader
destruir : détruire

separar : trier
reciclar : recycler, réutiliser

UN PEU DE CONVERSATION

- En casa tenemos tres cubos diferentes para separar
  la basura.
  Nous avons à la maison trois poubelles différentes pour le tri
  des déchets.

- En algunas zonas costeras ya es visible el aumento
  del nivel del mar como consecuencia del recalentamiento climático.
  Dans certaines régions côtières, l'élévation du niveau de la mer
  due au réchauffement climatique est déjà visible.

- Este año ha habido menos incendios que el pasado,
  pero la mayoría siguen siendo provocados.
  Cette année, il y a eu moins d'incendies que l'an passé, mais
  la plupart d'entre eux sont encore des incendies volontaires.

- El Gobierno español está haciendo esfuerzos para
  incrementar la instalación de parques eólicos.
  Le gouvernement espagnol fait des efforts pour agrandir
  le parc éolien.

- No malgastes el agua. Es un bien que escasea cada
  vez más.
  Ne gaspille pas l'eau. C'est un bien de plus en plus rare.

Conjugaison

Abréviations utilisées
pers. : personne
sing. : singulier
plur. : pluriel

Dans les tableaux qui suivent, les formes
correspondantes du *voseo* vous sont indiquées
systématiquement. Pour la conjugaison
américaine, reportez-vous p. 153.

Rappel : en Espagne comme en Amérique,
on emploie *usted* + 3ᵉ personne du singulier
et *ustedes* + 3ᵉ personne du pluriel pour
le vouvoiement.

1 HABER (AVOIR)

Formes non personnelles

	SIMPLES	COMPOSÉES
infinitif	haber	haber habido
gérondif	habiendo	habiendo habido
participe	habido	

Indicatif

	PRÉSENT *	IMPARFAIT	PASSÉ SIMPLE
yo	he	había	hube
tú	has	habías	hubiste
él, ella	ha	había	hubo
nosotros	hemos	habíamos	hubimos
vosotros	habéis	habíais	hubisteis
ellos, ellas	han	habían	hubieron

* En Amérique, 2ᵉ pers. sing. : *tú has* ou *vos has*.

	FUTUR	CONDITIONNEL
yo	habré	habría
tú	habrás	habrías
él, ella	habrá	habría
nosotros	habremos	habríamos
vosotros	habréis	habríais
ellos, ellas	habrán	habrían

Formes composées

Passé composé : *he habido...* ; **Plus-que-parfait :** *había habido...* ; **Passé antérieur :** *hube habido...* ; **Futur antérieur :** *habré habido...* ; **Conditionnel passé :** *habría habido...*

Subjonctif

	PRÉSENT	IMPARFAIT	FUTUR
yo	haya	hubiera *ou* hubiese	hubiere
tú	hayas	hubieras *ou* hubieses	hubieres
él, ella	haya	hubiera *ou* hubiese	hubiere
nosotros	hayamos	hubiéramos *ou* hubiésemos	hubiéremos
vosotros	hayáis	hubierais *ou* hubieseis	hubiereis
ellos, ellas	hayan	hubieran *ou* hubiesen	hubieren

Formes composées

Passé composé : *haya habido...* ; **Plus-que-parfait :** *hubiera* ou *hubiese habido...* ; **Futur antérieur :** *hubiere habido...*

Impératif

PRÉSENT *
he (tú)
habed (vosotros)

* En Amérique, 2e pers. sing. : *he (tú)* ou *he (vos)*.

2 *SER* (ÊTRE)

Formes non personnelles

	SIMPLES	COMPOSÉES
infinitif	ser	haber sido
gérondif	siendo	habiendo sido
participe	sido	

Indicatif

	PRÉSENT *	PASSÉ COMPOSÉ
yo	soy	he sido
tú	eres	has sido
él, ella	es	ha sido
nosotros	somos	hemos sido
vosotros	sois	habéis sido
ellos, ellas	son	han sido

* En Amérique, 2e pers. sing. : *tú eres* ou *vos sos*.

	IMPARFAIT	PLUS-QUE-PARFAIT
yo	era	había sido
tú	eras	habías sido
él, ella	era	había sido
nosotros	éramos	habíamos sido
vosotros	erais	habíais sido
ellos, ellas	eran	habían sido

	PASSÉ SIMPLE	PASSÉ ANTÉRIEUR
yo	fui	hube sido
tú	fuiste	hubiste sido
él, ella	fue	hubo sido
nosotros	fuimos	hubimos sido
vosotros	fuisteis	hubisteis sido
ellos, ellas	fueron	hubieron sido

	FUTUR	FUTUR ANTÉRIEUR
yo	seré	habré sido
tú	serás	habrás sido
él, ella	será	habrá sido
nosotros	seremos	habremos sido
vosotros	seréis	habréis sido
ellos, ellas	serán	habrán sido

	CONDITIONNEL	CONDITIONNEL PASSÉ
yo	sería	habría sido
tú	serías	habrías sido
él, ella	sería	habría sido
nosotros	seríamos	habríamos sido
vosotros	seríais	habríais sido
ellos, ellas	serían	habrían sido

Subjonctif

	PRÉSENT	PASSÉ COMPOSÉ
yo	sea	haya sido
tú	seas	hayas sido
él, ella	sea	haya sido
nosotros	seamos	hayamos sido
vosotros	seáis	hayáis sido
ellos, ellas	sean	hayan sido

	IMPARFAIT	PLUS-QUE-PARFAIT
yo	fuera *ou* fuese	hubiera *ou* hubiese sido
tú	fueras *ou* fueses	hubieras *ou* hubieses sido
él, ella	fuera *ou* fuese	hubiera *ou* hubiese sido
nosotros	fuéramos *ou* fuésemos	hubiéramos *ou* hubiésemos sido
vosotros	fuerais *ou* fueseis	hubierais *ou* hubieseis sido
ellos, ellas	fueran *ou* fuesen	hubieran *ou* hubiesen sido

Impératif

PRÉSENT *
sé (tú)
sed (vosotros)

* En Amérique, 2e pers. sing. : *sé (tú)* ou *sé (vos)*.

③ *ESTAR* (ÊTRE)

Formes non personnelles

	SIMPLES	COMPOSÉES
infinitif	estar	haber estado
gérondif	estando	habiendo estado
participe	estado	

Indicatif

	PRÉSENT *	PASSÉ COMPOSÉ
yo	estoy	he estado
tú	estás	has estado
él, ella	está	ha estado
nosotros	estamos	hemos estado
vosotros	estáis	habéis estado
ellos, ellas	están	han estado

* En Amérique, 2ᵉ pers. sing. : *tú estás* ou *vos estás*.

	IMPARFAIT	PLUS-QUE-PARFAIT
yo	estaba	había estado
tú	estabas	habías estado
él, ella	estaba	había estado
nosotros	estábamos	habíamos estado
vosotros	estabais	habíais estado
ellos, ellas	estaban	habían estado

	PASSÉ SIMPLE	PASSÉ ANTÉRIEUR
yo	estuve	hube estado
tú	estuviste	hubiste estado
él, ella	estuvo	hubo estado
nosotros	estuvimos	hubimos estado
vosotros	estuvisteis	hubisteis estado
ellos, ellas	estuvieron	hubieron estado

	FUTUR	FUTUR ANTÉRIEUR
yo	estaré	habré estado
tú	estarás	habrás estado
él, ella	estará	habrá estado
nosotros	estaremos	habremos estado
vosotros	estaréis	habréis estado
ellos, ellas	estarán	habrán estado

	CONDITIONNEL	CONDITIONNEL PASSÉ
yo	estaría	habría estado
tú	estarías	habrías estado
él, ella	estaría	habría estado
nosotros	estaríamos	habríamos estado
vosotros	estaríais	habríais estado
ellos, ellas	estarían	habrían estado

Subjonctif

	PRÉSENT	PASSÉ COMPOSÉ
yo	esté	haya estado
tú	estés	hayas estado
él, ella	esté	haya estado
nosotros	estemos	hayamos estado
vosotros	estéis	hayáis estado
ellos, ellas	estén	hayan estado

	IMPARFAIT	PLUS-QUE-PARFAIT
yo	estuviera *ou* estuviese	hubiera *ou* hubiese estado
tú	estuvieras *ou* estuvieses	hubieras *ou* hubieses estado
él, ella	estuviera *ou* estuviese	hubiera *ou* hubiese estado
nosotros	estuviéramos *ou* estuviésemos	hubiéramos *ou* hubiésemos estado
vosotros	estuvierais *ou* estuvieseis	hubierais *ou* hubieseis estado
ellos, ellas	estuvieran *ou* estuviesen	hubieran *ou* hubiesen estado

Impératif

PRÉSENT *
está (tú)
estad (vosotros)

* En Amérique, 2ᵉ pers. sing. : *está (tú)* ou *está (vos)*.

VERBES RÉGULIERS

4 *AMAR* (AIMER) : 1er GROUPE

Formes non personnelles

	SIMPLES	COMPOSÉES
infinitif	amar	haber amado
gérondif	amando	habiendo amado
participe	amado	

Indicatif

	PRÉSENT *	PASSÉ COMPOSÉ
yo	amo	he amado
tú	amas	has amado
él, ella	ama	ha amado
nosotros	amamos	hemos amado
vosotros	amáis	habéis amado
ellos, ellas	aman	han amado

* En Amérique, 2e pers. sing. : *tú amas* ou *vos amás*.

	IMPARFAIT	PLUS-QUE-PARFAIT
yo	amaba	había amado
tú	amabas	habías amado
él, ella	amaba	había amado
nosotros	amábamos	habíamos amado
vosotros	amabais	habíais amado
ellos, ellas	amaban	habían amado

	PASSÉ SIMPLE	PASSÉ ANTÉRIEUR
yo	amé	hube amado
tú	amaste	hubiste amado
él, ella	amó	hubo amado
nosotros	amamos	hubimos amado
vosotros	amasteis	hubisteis amado
ellos, ellas	amaron	hubieron amado

	FUTUR	FUTUR ANTÉRIEUR
yo	amaré	habré amado
tú	amarás	habrás amado
él, ella	amará	habrá amado
nosotros	amaremos	habremos amado
vosotros	amaréis	habréis amado
ellos, ellas	amarán	habrán amado

	CONDITIONNEL	CONDITIONNEL PASSÉ
yo	amaría	habría amado
tú	amarías	habrías amado
él, ella	amaría	habría amado
nosotros	amaríamos	habríamos amado
vosotros	amaríais	habríais amado
ellos, ellas	amarían	habrían amado

Subjonctif

	PRÉSENT	PASSÉ COMPOSÉ
yo	ame	haya amado
tú	ames	hayas amado
él, ella	ame	haya amado
nosotros	amemos	hayamos amado
vosotros	améis	hayáis amado
ellos, ellas	amen	hayan amado

	IMPARFAIT	PLUS-QUE-PARFAIT
yo	amara *ou* amase	hubiera *ou* hubiese amado
tú	amaras *ou* amases	hubieras *ou* hubieses amado
él, ella	amara *ou* amase	hubiera *ou* hubiese amado
nosotros	amáramos *ou* amásemos	hubiéramos *ou* hubiésemos amado
vosotros	amarais *ou* amaseis	hubierais *ou* hubieseis amado
ellos, ellas	amaran *ou* amasen	hubieran *ou* hubiesen amado

	FUTUR	FUTUR ANTÉRIEUR
yo	amare	hubiere amado
tú	amares	hubieres amado
él, ella	amare	hubiere amado
nosotros	amáremos	hubiéremos amado
vosotros	amareis	hubiereis amado
ellos, ellas	amaren	hubieren amado

NOTEZ BIEN
Le subjonctif futur est un temps aujourd'hui désuet.
Nous ne le reprenons pas pour les autres verbes.

Impératif

PRÉSENT *
ama (tú)
amad (vosotros)

* En Amérique, 2ᵉ pers. sing. : *ama (tú)* ou *amá (vos)*.

5 *BEBER* (BOIRE) : 2ᵉ GROUPE

Formes non personnelles

	SIMPLES	**COMPOSÉES**
infinitif	beber	haber bebido
gérondif	bebiendo	habiendo bebido
participe	bebido	

Indicatif

	PRÉSENT *	**PASSÉ COMPOSÉ**
yo	bebo	he bebido
tú	bebes	has bebido
él, ella	bebe	ha bebido
nosotros	bebemos	hemos bebido
vosotros	bebéis	habéis bebido
ellos, ellas	beben	han bebido

* En Amérique, 2ᵉ pers. sing. : *tú bebes* ou *vos bebés*.

	IMPARFAIT	**PLUS-QUE-PARFAIT**
yo	bebía	había bebido
tú	bebías	habías bebido
él, ella	bebía	había bebido
nosotros	bebíamos	habíamos bebido
vosotros	bebíais	habíais bebido
ellos, ellas	bebían	habían bebido

	PASSÉ SIMPLE	**PASSÉ ANTÉRIEUR**
yo	bebí	hube bebido
tú	bebiste	hubiste bebido
él, ella	bebió	hubo bebido
nosotros	bebimos	hubimos bebido
vosotros	bebisteis	hubisteis bebido
ellos, ellas	bebieron	hubieron bebido

	FUTUR	**FUTUR ANTÉRIEUR**
yo	beberé	habré bebido
tú	beberás	habrás bebido
él, ella	beberá	habrá bebido
nosotros	beberemos	habremos bebido
vosotros	beberéis	habréis bebido
ellos, ellas	beberán	habrán bebido

	CONDITIONNEL	CONDITIONNEL PASSÉ
yo	bebería	habría bebido
tú	beberías	habrías bebido
él, ella	bebería	habría bebido
nosotros	beberíamos	habríamos bebido
vosotros	beberíais	habríais bebido
ellos, ellas	beberían	habrían bebido

Subjonctif

	PRÉSENT	PASSÉ COMPOSÉ
yo	beba	haya bebido
tú	bebas	hayas bebido
él, ella	beba	haya bebido
nosotros	bebamos	hayamos bebido
vosotros	bebáis	hayáis bebido
ellos, ellas	beban	hayan bebido

	IMPARFAIT	PLUS-QUE-PARFAIT
yo	bebiera ou bebiese	hubiera ou hubiese bebido
tú	bebieras ou bebieses	hubieras ou hubieses bebido
él, ella	bebiera ou bebiese	hubiera ou hubiese bebido
nosotros	bebiéramos ou bebiésemos	hubiéramos ou hubiésemos bebido
vosotros	bebierais ou bebieseis	hubierais ou hubieseis bebido
ellos, ellas	bebieran ou bebiesen	hubieran ou hubiesen bebido

Impératif

PRÉSENT *
bebe (tú)
bebed (vosotros)

* En Amérique, 2e pers. sing. : *bebe (tú)* ou *bebé (vos)*.

6 *VIVIR* (VIVRE) : 3ᵉ GROUPE

Formes non personnelles

	SIMPLES	COMPOSÉES
infinitif	vivir	haber vivido
gérondif	viviendo	habiendo vivido
participe	vivido	

Indicatif

	PRÉSENT *	PASSÉ COMPOSÉ
yo	vivo	he vivido
tú	vives	has vivido
él, ella	vive	ha vivido
nosotros	vivimos	hemos vivido
vosotros	vivís	habéis vivido
ellos, ellas	viven	han vivido

* En Amérique, 2ᵉ pers. sing. : *tú vives* ou *vos vivís*.

	IMPARFAIT	PLUS-QUE-PARFAIT
yo	vivía	había vivido
tú	vivías	habías vivido
él, ella	vivía	había vivido
nosotros	vivíamos	habíamos vivido
vosotros	vivíais	habíais vivido
ellos, ellas	vivían	habían vivido

	PASSÉ SIMPLE	PASSÉ ANTÉRIEUR
yo	viví	hube vivido
tú	viviste	hubiste vivido
él, ella	vivió	hubo vivido
nosotros	vivimos	hubimos vivido
vosotros	vivisteis	hubisteis vivido
ellos, ellas	vivieron	hubieron vivido

	FUTUR	FUTUR ANTÉRIEUR
yo	viviré	habré vivido
tú	vivirás	habrás vivido
él, ella	vivirá	habrá vivido
nosotros	viviremos	habremos vivido
vosotros	viviréis	habréis vivido
ellos, ellas	vivirán	habrán vivido

	CONDITIONNEL	CONDITIONNEL PASSÉ
yo	viviría	habría vivido
tú	vivirías	habrías vivido
él, ella	viviría	habría vivido
nosotros	viviríamos	habríamos vivido
vosotros	viviríais	habríais vivido
ellos, ellas	vivirían	habrían vivido

Subjonctif

	PRÉSENT	PASSÉ COMPOSÉ
yo	viva	haya vivido
tú	vivas	hayas vivido
él, ella	viva	haya vivido
nosotros	vivamos	hayamos vivido
vosotros	viváis	hayáis vivido
ellos, ellas	vivan	hayan vivido

	IMPARFAIT	PLUS-QUE-PARFAIT
yo	viviera *ou* viviese	hubiera *ou* hubiese vivido
tú	vivieras *ou* vivieses	hubieras *ou* hubieses vivido
él, ella	viviera *ou* viviese	hubiera *ou* hubiese vivido
nosotros	viviéramos *ou* viviésemos	hubiéramos *ou* hubiésemos vivido
vosotros	vivierais *ou* vivieseis	hubierais *ou* hubieseis vivido
ellos, ellas	vivieran *ou* viviesen	hubieran *ou* hubiesen vivido

Impératif

PRÉSENT *
vive (tú)
vivid (vosotros)

* En Amérique, 2ᵉ pers. sing. : *vive (tú)* ou *viví (vos)*.

VERBES IRRÉGULIERS

7 *ANDAR* (MARCHER) : 1er groupe *(amar)*

	INDICATIF PASSÉ SIMPLE	SUBJONCTIF IMPARFAIT
yo	anduve	anduviera *ou* anduviese
tú	anduviste	anduvieras *ou* anduvieses
él, ella	anduvo	anduviera *ou* anduviese
nosotros	anduvimos	anduviéramos *ou* anduviésemos
vosotros	anduvisteis	anduvierais *ou* anduvieseis
ellos, ellas	anduvieron	anduvieran *ou* anduviesen

8 *CABER* (TENIR) : 2e groupe *(beber)*

Indicatif

	PRÉSENT *	PASSÉ SIMPLE
yo	quepo	cupe
tú	cabes	cupiste
él, ella	cabe	cupo
nosotros	cabemos	cupimos
vosotros	cabéis	cupisteis
ellos, ellas	caben	cupieron

* En Amérique, 2e pers. sing. : *tú cabes* ou *vos cabés.*

	FUTUR	CONDITIONNEL
yo...	cabré...	cabría...

Subjonctif

	PRÉSENT	IMPARFAIT
yo...	quepa...	cupiera *ou* cupiese...

9 *CAER* (TOMBER) : 2e groupe *(beber)*

Formes non personnelles

	SIMPLES	COMPOSÉES
infinitif	caer	haber caído
gérondif	cayendo	habiendo caído
participe	caído	

Indicatif

	PRÉSENT *	PASSÉ SIMPLE
yo	caigo	caí
tú	caes	caíste
él, ella	cae	cayó
nosotros	caemos	caímos
vosotros	caéis	caísteis
ellos, ellas	caen	cayeron

* En Amérique, 2e pers. sing. : *tú caes* ou *vos caés*.

Subjonctif

	PRÉSENT	IMPARFAIT
yo...	caiga...	cayera *ou* cayese...

10 *CONCLUIR* (CONCLURE) : 3e groupe *(vivir)* ; variation *i/y*

Formes non personnelles

	SIMPLES	COMPOSÉES
infinitif	concluir	haber concluido
gérondif	concluyendo	habiendo concluido
participe	concluido	

Indicatif

	PRÉSENT *	PASSÉ SIMPLE
yo	concluyo	concluí
tú	concluyes	concluiste
él, ella	concluye	concluyó
nosotros	concluimos	concluimos
vosotros	concluís	concluisteis
ellos, ellas	concluyen	concluyeron

* En Amérique, 2e pers. sing. : *tú concluyes* ou *vos concluís*.

Subjonctif

	PRÉSENT	IMPARFAIT
yo...	concluya...	concluyera *ou* concluyese...

Impératif

PRÉSENT *
concluye (tú)   concluid (vosotros)

* En Amérique, 2e pers. sing. : *concluye (tú)* ou *concluí (vos)*.

➥ Varient comme *concluir* : *construir* (construire), *disminuir* (diminuer), *distribuir* (distribuer), *excluir* (exclure), *huir* (fuir), *incluir* (inclure), *instruir* (instruire).

---

11 **CONDUCIR (CONDUIRE)** : 3e groupe *(vivir)* ; variation *c/zc* ; passé simple *-duje*

	INDICATIF PRÉSENT *	INDICATIF PASSÉ SIMPLE
yo	conduzco	conduje
tú	conduces	condujiste
él, ella	conduce	condujo
nosotros	conducimos	condujimos
vosotros	conducís	condujisteis
ellos, ellas	conducen	condujeron

* En Amérique, 2e pers. sing. : *tú conduces* ou *vos conducís*.

	SUBJONCTIF PRÉSENT	SUBJONCTIF IMPARFAIT
yo…	conduzca…	condujera *ou* condujese…

➥ Varient comme *conducir* : *deducir* (déduire), *introducir* (introduire), *producir* (produire), *reducir* (réduire), *seducir* (séduire), *traducir* (traduire).

---

12 **CONOCER (CONNAÎTRE)** : 2e groupe *(beber)* ; variation *c/zc*

	INDICATIF PRÉSENT *	SUBJONCTIF PRÉSENT
yo	conozco	conozca
tú	conoces	conozcas
él, ella	conoce	conozca
nosotros	conocemos	conozcamos
vosotros	conocéis	conozcáis
ellos, ellas	conocen	conozcan

* En Amérique, 2e pers. sing. : *tú conoces* ou *vos conocés*.

➥ Varient comme *conocer* : *agradecer* (remercier), *carecer* (manquer), *parecer* (paraître), *placer* (plaire), *nacer* (naître), *merecer* (mériter).

13 *DAR* (DONNER) : 1er groupe (*amar*)

Indicatif

	PRÉSENT *	PASSÉ SIMPLE
yo	doy	di
tú	das	diste
él, ella	da	dio
nosotros	damos	dimos
vosotros	dais	disteis
ellos, ellas	dan	dieron

* En Amérique, 2e pers. sing. : *tú das* ou *vos das.*

Subjonctif

	PRÉSENT	IMPARFAIT
yo	dé	diera *ou* diese…
tú	des	
él, ella	dé	
nosotros	demos	
vosotros	deis	
ellos, ellas	den	

14 *DECIR* (DIRE) : 3e groupe (*vivir*)

Formes non personnelles

	SIMPLES	COMPOSÉES
infinitif	decir	haber dicho
gérondif	diciendo	habiendo dicho
participe	dicho	

Indicatif

	PRÉSENT *	PASSÉ SIMPLE
yo	digo	dije
tú	dices	dijiste
él, ella	dice	dijo
nosotros	decimos	dijimos
vosotros	decís	dijisteis
ellos, ellas	dicen	dijeron

* En Amérique, 2e pers. sing. : *tú dices* ou *vos decís.*

	FUTUR	CONDITIONNEL
yo…	diré…	diría…

Subjonctif

	PRÉSENT	IMPARFAIT
yo...	diga...	dijera *ou* dijese...

Impératif

PRÉSENT *
di (tú)
decid (vosotros)

* En Amérique, 2ᵉ pers. sing. : *di (tú)* ou *decí (vos)*.

15 *DORMIR* (DORMIR) : 3ᵉ groupe *(vivir)* ; variation *o/ue/u*

Formes non personnelles

	SIMPLES	COMPOSÉES
infinitif	dormir	haber dormido
gérondif	durmiendo	habiendo dormido
participe	dormido	

Indicatif

	PRÉSENT *	PASSÉ SIMPLE
yo	duermo	dormí
tú	duermes	dormiste
él, ella	duerme	durmió
nosotros	dormimos	dormimos
vosotros	dormís	dormisteis
ellos, ellas	duermen	durmieron

* En Amérique, 2ᵉ pers. sing. : *tú duermes* ou *vos dormís*.

Subjonctif

	PRÉSENT	IMPARFAIT
yo	duerma	durmiera *ou* durmiese...
tú	duermas	
él, ella	duerma	
nosotros	durmamos	
vosotros	durmáis	
ellos, ellas	duerman	

Impératif

PRÉSENT *
duerme (tú)
dormid (vosotros)

* En Amérique, 2e pers. sing. : *duerme (tú)* ou *dormí (vos)*.

Varie comme *dormir* : *morir* (mourir) sauf au participe passé *(muerto)*.

16 HACER (FAIRE) : 2e groupe *(beber)*

Formes non personnelles

	SIMPLES	COMPOSÉES
infinitif	hacer	haber hecho
gérondif	haciendo	habiendo hecho
participe	hecho	

Indicatif

	PRÉSENT *	PASSÉ SIMPLE
yo	hago	hice
tú	haces	hiciste
él, ella	hace	hizo
nosotros	hacemos	hicimos
vosotros	hacéis	hicisteis
ellos, ellas	hacen	hicieron

* En Amérique, 2e pers. sing. : *tú haces* ou *vos hacés*.

	FUTUR	CONDITIONNEL
yo...	haré...	haría...

Subjonctif

	PRÉSENT	IMPARFAIT
yo...	haga...	hiciera *ou* hiciese...

Impératif

PRÉSENT *
haz (tú)
haced (vosotros)

* En Amérique, 2e pers. sing. : *haz (tú)* ou *hacé (vos)*.

17 *IR* (ALLER) : 3e groupe *(vivir)*

Formes non personnelles

	SIMPLES	**COMPOSÉES**
infinitif	ir	haber ido
gérondif	yendo	habiendo ido
participe	ido	

Indicatif

	PRÉSENT *	**IMPARFAIT**	**PASSÉ SIMPLE**
yo	voy	iba	fui
tú	vas	ibas	fuiste
él, ella	va	iba	fue
nosotros	vamos	íbamos	fuimos
vosotros	vais	ibais	fuisteis
ellos, ellas	van	iban	fueron

* En Amérique, 2e pers. sing. : *tú vas* ou *vos vas.*

Subjonctif

	PRÉSENT	**IMPARFAIT**
yo…	vaya…	fuera *ou* fuese…

Impératif

PRÉSENT *
ve (tú)
id (vosotros)

* En Amérique, 2e pers. sing. : *ve (tú)* ou *andá (vos).*

18 *JUGAR* (JOUER) : 1er groupe *(amar)* ; variation *u/ue*

	INDICATIF PRÉSENT *	**SUBJONCTIF PRÉSENT**	**IMPÉRATIF PRÉSENT ****
yo	juego	juegue	
tú	juegas	juegues	juega (tú)
él, ella	juega	juegue	
nosotros	jugamos	juguemos	
vosotros	jugáis	juguéis	jugad (vosotros)
ellos, ellas	juegan	jueguen	

* En Amérique, 2e pers. sing. : *tú juegas* ou *vos jugás.*

** En Amérique, 2e pers. sing. : *juega (tú)* ou *jugá (vos).*

19 *OÍR* (ENTENDRE) : 3e groupe *(vivir)*

Formes non personnelles

	SIMPLES	COMPOSÉES
infinitif	oír	haber oído
gérondif	oyendo	habiendo oído
participe	oído	

Indicatif

	PRÉSENT *	PASSÉ SIMPLE
yo	oigo	oí
tú	oyes	oíste
él, ella	oye	oyó
nosotros	oímos	oímos
vosotros	oís	oisteis
ellos, ellas	oyen	oyeron

* En Amérique, 2e pers. sing. : *tú oyes* ou *vos oís*.

Subjonctif

	PRÉSENT	IMPARFAIT
yo...	oiga...	oyera *ou* oyese...

Impératif

PRÉSENT *
oye (tú)
oíd (vosotros)

* En Amérique, 2e pers. sing. : *oye (tú)* ou *oí (vos)*.

20 *OLER* (SENTIR) : 2e groupe *(beber)* ; variation o/hue

	INDICATIF PRÉSENT *	SUBJONCTIF PRÉSENT	IMPÉRATIF PRÉSENT **
yo	huelo	huela	
tú	hueles	huelas	huele (tú)
él, ella	huele	huela	
nosotros	olemos	olamos	
vosotros	oléis	oláis	oled (vosotros)
ellos, ellas	huelen	huelan	

* En Amérique, 2e pers. sing. : *tú hueles* ou *vos olés*.
** En Amérique, 2e pers. sing. : *huele (tú)* ou *olé (vos)*.

21 *PEDIR* (DEMANDER) : 3ᵉ groupe *(vivir)* ; variation *e/i*

⬛ Formes non personnelles

	SIMPLES	COMPOSÉES
infinitif	pedir	haber pedido
gérondif	pidiendo	habiendo pedido
participe	pedido	

⬛ Indicatif

	PRÉSENT *	PASSÉ SIMPLE
yo	pido	pedí
tú	pides	pediste
él, ella	pide	pidió
nosotros	pedimos	pedimos
vosotros	pedís	pedisteis
ellos, ellas	piden	pidieron

* En Amérique, 2ᵉ pers. sing. : *tú pides* ou *vos pedís*.

⬛ Subjonctif

	PRÉSENT	IMPARFAIT
yo	pida	pidiera *ou* pidiese
tú	pidas	pidieras *ou* pidieses
él, ella	pida	pidiera *ou* pidiese
nosotros	pidamos	pidiéramos *ou* pidiésemos
vosotros	pidáis	pidierais *ou* pidieseis
ellos, ellas	pidan	pidieran *ou* pidiesen

⬛ Impératif

PRÉSENT *
pide (tú)
pedid (vosotros)

* En Amérique, 2ᵉ pers. sing. : *pide (tú)* ou *pedí (vos)*.

⬛ Varient comme *pedir* : *corregir* (corriger), *despedir* (dire au revoir), *elegir* (choisir), *impedir* (empêcher), *medir* (mesurer), *repetir* (répéter), *seguir* (suivre), *servir* (servir), *teñir* (teindre), *vestir* (habiller).

22 *PENSAR* (PENSER) : 1er groupe *(amar)* ; variation *e/ie*

	INDICATIF PRÉSENT *	SUBJONCTIF PRÉSENT	IMPÉRATIF PRÉSENT **
yo	pienso	piense	
tú	piensas	pienses	piensa (tú)
él, ella	piensa	piense	
nosotros	pensamos	pensemos	
vosotros	pensáis	penséis	pensad (vosotros)
ellos, ellas	piensan	piensen	

* En Amérique, 2e pers. sing. : *tú piensas* ou *vos pensás*.

** En Amérique, 2e pers. sing. : *piensa (tú)* ou *pensá (vos)*.

▶ Varient comme *pensar* : *acertar* (deviner), *apretar* (serrer), *calentar* (chauffer), *cerrar* (fermer), *comenzar* (commencer), *despertarse* (se réveiller), *empezar* (commencer), *nevar* (neiger), *sentarse* (s'asseoir) ; *defender* (défendre), *encender* (allumer), *entender* (comprendre), *perder* (perdre).

23 *PODER* (POUVOIR) : 2e groupe *(beber)*

▶ Formes non personnelles

	SIMPLES	COMPOSÉES
infinitif	poder	haber podido
gérondif	pudiendo	habiendo podido
participe	podido	

▶ Indicatif

	PRÉSENT *	PASSÉ SIMPLE
yo	puedo	pude
tú	puedes	pudiste
él, ella	puede	pudo
nosotros	podemos	pudimos
vosotros	podéis	pudisteis
ellos, ellas	pueden	pudieron

* En Amérique, 2e pers. sing. : *tú puedes* ou *vos podés*.

	FUTUR	CONDITIONNEL
yo...	podré...	podría...

Subjonctif

	PRÉSENT	IMPARFAIT
yo	pueda	pudiera *ou* pudiese…
tú	puedas	
él, ella	pueda	
nosotros	podamos	
vosotros	podáis	
ellos, ellas	puedan	

Impératif

PRÉSENT *
puede (tú)
poded (vosotros)

* En Amérique, 2ᵉ pers. sing. : *puede (tú)* ou *podé (vos)*.

24 *PONER* (POSER) : 2ᵉ groupe *(beber)*

Formes non personnelles

	SIMPLES	COMPOSÉES
infinitif	poner	haber puesto
gérondif	poniendo	habiendo puesto
participe	puesto	

Indicatif

	PRÉSENT *	PASSÉ SIMPLE
yo	pongo	puse
tú	pones	pusiste
él, ella	pone	puso
nosotros	ponemos	pusimos
vosotros	ponéis	pusisteis
ellos, ellas	ponen	pusieron

* En Amérique, 2ᵉ pers. sing. : *tú pones* ou *vos ponés*.

	FUTUR	CONDITIONNEL
yo…	pondré…	pondría…

Subjonctif

	PRÉSENT	IMPARFAIT
yo…	ponga…	pusiera *ou* pusiese…

Impératif

PRÉSENT *
pon (tú)
poned (vosotros)

* En Amérique, 2ᵉ pers. sing. : *pon (tú)* ou *poné (vos)*.

25 QUERER (VOULOIR) : 2ᵉ groupe *(beber)*

Indicatif

	PRÉSENT *	PASSÉ SIMPLE
yo	quiero	quise
tú	quieres	quisiste
él, ella	quiere	quiso
nosotros	queremos	quisimos
vosotros	queréis	quisisteis
ellos, ellas	quieren	quisieron

* En Amérique, 2ᵉ pers. sing. : *tú quieres* ou *vos querés*.

	FUTUR	CONDITIONNEL
yo...	querré...	querría...

Subjonctif

	PRÉSENT	IMPARFAIT
yo	quiera	quisiera *ou* quisiese...
tú	quieras	
él, ella	quiera	
nosotros	queramos	
vosotros	queráis	
ellos, ellas	quieran	

Impératif

PRÉSENT *
quiere (tú)
quered (vosotros)

* En Amérique, 2ᵉ pers. sing. : *quiere (tú)* ou *queré (vos)*.

26 *REÍR* (RIRE) : 3e groupe *(vivir)* ; variation e/í/i

Formes non personnelles

	SIMPLES	**COMPOSÉES**
infinitif	reír	haber reído
gérondif	riendo	habiendo reído
participe	reído	

Indicatif

	PRÉSENT *	**PASSÉ SIMPLE**
yo	río	reí
tú	ríes	reíste
él, ella	ríe	rió
nosotros	reímos	reímos
vosotros	reís	reísteis
ellos, ellas	ríen	rieron

* En Amérique, 2e pers. sing. : *tú ríes* ou *vos reís*.

Subjonctif

	PRÉSENT	**IMPARFAIT**
yo	ría	riera *ou* riese...
tú	rías	
él, ella	ría	
nosotros	ríamos	
vosotros	riáis	
ellos, ellas	rían	

Impératif

PRÉSENT *
ríe (tú)
reíd (vosotros)

*En Amérique, 2e pers. sing. : *ríe (tú)* ou *reí (vos)*.

Varient comme *reír* : *freír* (frire), *sonreír* (sourire).

27 *SABER* (SAVOIR) : 2e groupe *(beber)*

Indicatif

	PRÉSENT *	PASSÉ SIMPLE
yo	sé	supe
tú	sabes	supiste
él, ella	sabe	supo
nosotros	sabemos	supimos
vosotros	sabéis	supisteis
ellos, ellas	saben	supieron

* En Amérique, 2e pers. sing. : *tú sabes* ou *vos sabés*.

	FUTUR	CONDITIONNEL
yo...	sabré...	sabría...

Subjonctif

	PRÉSENT	IMPARFAIT
yo...	sepa...	supiera *ou* supiese...

28 *SALIR* (SORTIR) : 3e groupe *(vivir)*

Indicatif

	PRÉSENT *	FUTUR	CONDITIONNEL
yo	salgo	saldré...	saldría...
tú	sales		
él, ella	sale		
nosotros	salimos		
vosotros	salís		
ellos, ellas	salen		

* En Amérique, 2e pers. sing. : *tú sales* ou *vos salís*.

Subjonctif

	PRÉSENT
yo...	salga...

Impératif

PRÉSENT *
sal (tú)
salid (vosotros)

* En Amérique, 2e pers. sing. : *sal (tú)* ou *salí (vos)*.

29 *SENTIR* (SENTIR) : 3e groupe *(vivir)* ; variation *e/ie/i*

Formes non personnelles

	SIMPLES	COMPOSÉES
infinitif	sentir	haber sentido
gérondif	sintiendo	habiendo sentido
participe	sentido	

Indicatif

	PRÉSENT *	PASSÉ SIMPLE
yo	siento	sentí
tú	sientes	sentiste
él, ella	siente	sintió
nosotros	sentimos	sentimos
vosotros	sentís	sentisteis
ellos, ellas	sienten	sintieron

* En Amérique, 2e pers. sing. : *tú sientes* ou *vos sentís*.

Subjonctif

	PRÉSENT	IMPARFAIT
yo	sienta	sintiera *ou* sintiese…
tú	sientas	
él, ella	sienta	
nosotros	sintamos	
vosotros	sintáis	
ellos, ellas	sientan	

Impératif

PRÉSENT *
siente (tú)
sentid (vosotros)

* En Amérique, 2e pers. sing. : *siente (tú)* ou *sentí (vos)*.

Varient comme *sentir* : *advertir* (avertir), *arrepentirse* (regretter), *convertir* (convertir), *divertir* (divertir), *mentir* (mentir), *preferir* (préférer), *sugerir* (suggérer).

30 TENER (AVOIR) : 2e groupe (beber)

Indicatif

	PRÉSENT *	PASSÉ SIMPLE
yo	tengo	tuve
tú	tienes	tuviste
él, ella	tiene	tuvo
nosotros	tenemos	tuvimos
vosotros	tenéis	tuvisteis
ellos, ellas	tienen	tuvieron

* En Amérique, 2e pers. sing. : *tú tienes* ou *vos tenés*.

	FUTUR	CONDITIONNEL
yo...	tendré...	tendría...

Subjonctif

	PRÉSENT	IMPARFAIT
yo...	tenga...	tuviera *ou* tuviese...

Impératif

PRÉSENT *	
ten (tú)	tened (vosotros)

* En Amérique, 2e pers. sing. : *ten (tú)* ou *tené (vos)*.

31 TRAER (APPORTER) : 2e groupe (beber)

Formes non personnelles

	SIMPLES	COMPOSÉES
infinitif	traer	haber traído
gérondif	trayendo	habiendo traído
participe	traído	

Indicatif

	PRÉSENT *	PASSÉ SIMPLE
yo	traigo	traje
tú	traes	trajiste
él, ella	trae	trajo
nosotros	traemos	trajimos
vosotros	traéis	trajisteis
ellos, ellas	traen	trajeron

* En Amérique, 2e pers. sing. : *tú traes* ou *vos traés*.

Subjonctif

	PRÉSENT	IMPARFAIT
yo...	traiga...	trajera *ou* trajese...

32 *VALER* (VALOIR) : 2ᵉ groupe *(beber)*

Indicatif

	PRÉSENT *	FUTUR	CONDITIONNEL
yo	valgo	valdré...	valdría...
tú	vales		
él, ella	vale		
nosotros	valemos		
vosotros	valéis		
ellos, ellas	valen		

* En Amérique, 2ᵉ pers. sing. : *tú vales* ou *vos valés*.

Subjonctif

	PRÉSENT	IMPARFAIT
yo...	valga...	valiera *ou* valiese...

33 *VENIR* (VENIR) : 3ᵉ groupe *(vivir)*

Formes non personnelles

	SIMPLES	COMPOSÉES
infinitif	venir	haber venido
gérondif	viniendo	habiendo venido
participe	venido	

Indicatif

	PRÉSENT *	PASSÉ SIMPLE
yo	vengo	vine
tú	vienes	viniste
él, ella	viene	vino
nosotros	venimos	vinimos
vosotros	venís	vinisteis
ellos, ellas	vienen	vinieron

* En Amérique, 2ᵉ pers. sing. : *tú vienes* ou *vos venís*.

	FUTUR	CONDITIONNEL
yo...	vendré...	vendría...

Subjonctif

	PRÉSENT	IMPARFAIT
yo...	venga...	viniera *ou* viniese...

Impératif

PRÉSENT *
ven (tú)
venid (vosotros)

* En Amérique, 2e pers. sing. : *ven (tú)* ou *vení (vos)*.

34 *VER* (VOIR) : 2e groupe *(beber)*

Formes non personnelles

	SIMPLES	COMPOSÉES
infinitif	ver	haber visto
gérondif	viendo	habiendo visto
participe	visto	

Indicatif

	PRÉSENT *	IMPARFAIT	PASSÉ SIMPLE
yo	veo	veía	vi
tú	ves	veías	viste
él, ella	ve	veía	vio
nosotros	vemos	veíamos	vimos
vosotros	veis	veíais	visteis
ellos, ellas	ven	veían	vieron

* En Amérique, 2e pers. sing. : *tú ves* ou *vos ves*.

Subjonctif

	PRÉSENT	IMPARFAIT
yo...	vea...	viera *ou* viese...

35 *VOLVER* (REVENIR) : 2ᵉ groupe *(beber)* ; variation *o/ue*

	INDICATIF PRÉSENT *	SUBJONCTIF PRÉSENT	IMPÉRATIF PRÉSENT **
yo	vuelvo	vuelva	
tú	vuelves	vuelvas	vuelve (tú)
él, ella	vuelve	vuelva	
nosotros	volvemos	volvamos	
vosotros	volvéis	volváis	volved (vosotros)
ellos, ellas	vuelven	vuelvan	

* En Amérique, 2ᵉ pers. sing. : *tú vuelves* ou *vos volvés*.

** En Amérique, 2ᵉ pers. sing. : *vuelve (tú)* ou *volvé (vos)*.

Varient comme *volver* : *acordar* (accorder), *acostar* (coucher), *avergonzar* (faire honte), *colgar* (pendre), *costar* (coûter), *encontrar* (trouver), *probar* (prouver), *rogar* (prier), *soltar* (lâcher), *soñar* (rêver), *volar* (voler) ; *doler* (faire mal), *morder* (mordre), *mover* (bouger), *resolver* (résoudre), *devolver* (rendre).

INDEX

Cet ouvrage est composé
en Meta Pro pour le texte,
Schneidler pour les exemples,
Stone Sans pour les lexiques
et Tarzana pour les notes

Achevé d'imprimer en décembre 2018 par Normandie Roto Impression s.a.s., 61250 Lonrai
N° d'imprimeur : 1804411 - Dépôt légal : 93833-7/09 - Janvier 2019 - *Imprimé en France*